LA FIN DE L'A

Noémi

Prix du Commonwealth
(Premier roman, Canada et Caraïbes)

Finaliste - Prix littéraire du Gouverneur général
(Catégorie traduction)

« Ce petit livre a des allures de conte de fées. [...] C'est une ode à l'amour, et rien ne met autant en relief son éclat que la noirceur de la mort. »
La Presse

« Une douce célébration de la vie qui se lit d'un trait. De A à Z. »
Le Soleil

« Une fable élégante, merveilleusement écrite, un hymne plein de gratitude au temps, à l'amour et à la littérature. »
The Guardian

« Dans une prose discrète, à l'exotisme délicat, CS Richardson construit une fabuleuse ode aux petites choses de la vie : à la beauté des phrases inachevées et aux meilleures intentions du monde. »
The Observer

C S Richardson

La fin de l'alphabet

Traduit de l'anglais (Canada) par Sophie Voillot

Alto

Les Éditions Alto remercient le Conseil des Arts du Canada
pour son soutien financier.

La traduction de cet ouvrage a été rendue possible
grâce à une aide financièredu Conseil des Arts du Canada
et du ministère du Patrimoine canadien par l'entremise
du Programme d'aide au développement de l'industrie de l'édition.

La publication de cet ouvrage a été rendue possible grâce à l'aide
financière de la Société de développement des entreprises culturelles
(SODEC) et du ministère du Patrimoine canadien
par l'entremise du Programme d'aide au développement
de l'industrie de l'édition (PADIÉ).

Gouvernement du Québec – Programme de crédit d'impôt
pour l'édition de livres – Gestion SODEC.

Titre original : *The End of the Alphabet*
Éditeur original : Doubleday Canada,
une division de Random House of Canada Limited
ISBN original : 978-0-38566340-3

Illustration de la couverture et lettrines : Pascal Blanchet
www.pascalblanchet.ca

ISBN : 978-2-923550-41-1

Noémi Viens-Poirier

Salon du
livre de Québec 2013

Pour Rebecca… TMD

Pense à ce long voyage, le retour
Serions-nous mieux chez nous à rêver d'ici ?
Où faudrait-il être aujourd'hui ?

Elizabeth BISHOP,
Questions of Travel

Toute cette histoire est assez improbable.

Autrement – si sa volonté y avait été pour quelque chose – tout aurait commencé un dimanche matin. De bonne heure, car c'était son moment préféré de la journée, et en avril, ce terrain glissant entre la maigreur de l'hiver et les rondeurs du printemps.

Il aurait fermé la porte de sa maison, serait sorti sur le perron pour observer l'aube. D'une bourrade, il aurait fait descendre le matou du quartier de son perchoir sur l'appui de sa fenêtre. La bête miteuse lui aurait craché une injure avant de franchir d'un bond la rue étroite et de filer vers le parc. Fier d'avoir enfin triomphé de l'affreux sac à puces, il aurait répondu d'un crachement de son cru, puis il serait parti se promener. Comme tous les dimanches matin, du plus loin qu'il s'en souvienne.

En remontant la rue, il aurait vu la dame du numéro dix-huit se pencher pour ramasser le journal sur le pas de sa porte. En raison de la fraîcheur matinale, elle n'aurait pas oublié d'enfiler une robe de chambre. Ils se seraient souhaité un bon matin jovial et gauche. Il savait qu'elle avait deux enfants turbulents dont il ne parvenait jamais à se rappeler les noms. Elle n'était pas sans ignorer qu'il travaillait dans un domaine créatif ou un autre. Ils auraient tourné quelques minutes autour d'un point commun, à la suite de quoi il se serait enquis des progrès artistiques de sa progéniture. Sa femme et lui n'avaient pas eu d'enfant.

Plus loin, amorçant leur tour du parc matinal, il aurait croisé le vieux monsieur qui vivait au numéro douze, flanqué de son roquet nain. Ces deux-là l'auraient attendu pour le saluer. Soulevant sa casquette, l'homme se serait lancé sans préambule dans une théorie saugrenue sur un sujet quelconque. Le roquet nain se serait mis à japper à la vue du matou miteux.

Lui, il se serait inquiété de déplaire au vieux monsieur en le contredisant, mais n'aurait pas osé aborder un autre sujet dont il aurait tout ignoré, encore moins défendre une théorie de son cru. Il se serait forcé à rire, à faire celui qui est d'accord, il aurait lancé au roquet un coup d'œil méfiant et souhaité bonne journée à son voisin.

Il aurait poussé jusqu'à Kensington High Street en maugréant après l'hiver qui s'achevait. Il aurait regretté de ne pas être parti en Italie avec sa femme. Mais cela eût coûté cher, ou posé des difficultés, ou signifié le début d'une période difficile au bureau. Il aurait poussé un soupir discret. Le ciel de Londres aurait viré du noir au gris, du gris au jaune, du jaune au bleu. Il aurait souri.

Il serait entré dans Kensington Gardens, aurait grimpé vers le palais et enfilé Broad Walk. C'est là qu'il se serait senti le plus heureux. Il se serait immobilisé aux abords du Round Pond. Face aux cygnes, face à l'est, il aurait plissé les yeux comme il le faisait souvent pour observer une enfant de neuf ou dix ans dont les fins cheveux noirs auraient eu bien besoin d'une coupe ou d'un ruban, et qui lisait un livre très au-dessus de son âge. Le soleil aurait jailli de la cime bourgeonnante des arbres et il aurait fermé les yeux dans sa chaleur.

Il aurait regardé sa montre, compté les minutes, passé mentalement en revue l'horaire de la journée et fait demi-tour en direction de chez lui. Il aurait repris Broad Walk en sens inverse, longé le palais, descendu High Street jusqu'à sa rue, dépassé les numéros douze et dix-huit, croisé le chat réinstallé sur l'appui de la fenêtre et rouvert la porte d'entrée.

Sa femme aurait commencé à remuer dans son sommeil. Encore cinq minutes, aurait-elle mendié juste assez fort pour qu'il l'entende tout en préparant une tasse de thé tiède avec trop de lait. Comme d'habitude.

Ambroise Zéphyr se serait réjoui que le printemps soit de retour dans cette partie de Londres, que l'on soit dimanche et de ne pas être obligé de se rendre à son bureau. Il aurait lu le premier jet du dernier article de sa femme, émettant au passage (noblesse du lecteur oblige) un ou deux commentaires enthousiastes.

Il se serait demandé de quoi seraient composés les jours à venir, comme il le faisait souvent, rêvant de faire autre chose. Cela se serait terminé là.

Mais ce n'est pas de cette histoire-là qu'il s'agit.

Aux alentours de son cinquantième anniversaire, Ambroise Zéphyr échoua à son examen médical annuel. On lui découvrit une maladie d'origine obscure, sans remède connu ni concevable, qui allait le tuer d'ici un mois. À un jour près.

On insinua qu'il ferait peut-être mieux de prendre des dispositions pour le temps qu'il lui restait à vivre.

Ambroise Zéphyr menait avec sa femme, dans une maison victorienne exiguë bourrée de livres, une vie calme, satisfaite et pratiquement dépourvue d'extravagances.

Il était propriétaire de deux costumes sur mesure. Dans l'un, il s'était marié. Il portait l'autre, un trois-pièces en lin comprenant un gilet à revers, chaque fois qu'il se déplaçait, que ce soit pour affaires, pour sa promenade du dimanche ou pour prendre le métro. Il n'oubliait jamais de glisser dans la poche du veston un mouchoir très simple. Il faisait collection de chemises à manchettes comme d'autres collectionnent les gobelets souvenirs ou les vieux numéros du *National Geographic.* Il ne portait que rarement la cravate, qu'il appréciait néanmoins pour le défi esthétique qu'elle lui posait. Côté chaussures, il privilégiait les mocassins, d'Italie de préférence, qu'il se procurait aux braderies d'Oxford Street. Ses montres – nombreuses – prenaient des formes et des couleurs plus singulières les unes que les autres.

Acculé au pied du mur, il prétendait lire Joyce, Ford et Conrad. En vérité, il préférait relire Fleming et Wodehouse. Il tenait mademoiselle Elizabeth Bennet en fort piètre estime (mais aimait bien monsieur B., le personnage du père). Quant à Darcy, il lui inspirait un salutaire respect. Selon Ambroise, *Les*

Hauts de Hurlevent était le livre le plus ennuyeux de l'histoire de la littérature.

Cela faisait un bout de temps qu'il n'avait pas parcouru un quotidien.

La totalité des connaissances culinaires que possédait Ambroise Zéphyr lui avaient été enseignées par sa femme. Il avait le droit d'entrer dans la cuisine, mais il lui était interdit de toucher à quoi que ce soit. Sous aucun prétexte. Il mangeait vaillamment de tout, à l'exception des choux de Bruxelles et des palourdes. Ses vagues notions d'œnologie pouvaient se résumer ainsi : Napa, bien ; Australie, mieux ; France, encore mieux. Pour les occasions spéciales, il affectionnait le kir royal. Pour un Anglais, il ne faisait pas très bien le thé.

Il estimait que la sagesse des femmes surpassait nettement celle des hommes. Ce n'était pas le genre d'homme à vouer un culte aux seins, aux cuisses ou aux fesses ; les cheveux d'une femme pouvaient être de n'importe quelle couleur, de n'importe quelle longueur. Ambroise préférait le tout à l'ensemble de ses parties.

Quand quelqu'un entrait dans une pièce, il se levait. Il marchait du bon côté du trottoir. Il ouvrait toujours la porte pour sa femme d'abord. On pouvait lui faire confiance.

Ambroise Zéphyr était le créatif de service chez Dravot & Carnehan, que certains concurrents mal élevés surnommaient le DraCar. Messieurs Dravot et Carnehan avaient depuis longtemps cédé leurs intérêts dans leur agence de publicité à une multinationale des médias. Partis vers d'autres aventures, ils avaient laissé Ambroise sous les ordres d'une femme très sage et très fatiguée du nom de Greta.

Les collègues d'Ambroise le trouvaient inventif, quoique un peu terre-à-terre. Ni star ni gourou, il livrait à temps, dans les limites du budget, des projets réalistes aux spécifications raisonnables. Ambroise n'avait aucun problème avec cette image. Le client a toujours quelque chose à vendre, disait-il à qui voulait l'entendre, et la plupart du temps, ce quelque chose n'est pas Ambroise Zéphyr.

En se tenant bien droit contre un mur, il mesurait un tout petit peu moins d'un mètre quatre-vingt. Exception faite de l'inévitable empâtement de la silhouette qui accompagne la cinquantaine, il était plutôt mince. Son crâne poivre et sel portait toujours le même nombre de cheveux que dans son enfance. Malgré les pattes d'oie, il avait les yeux aussi bleus que le jour où, cinquante ans plus tôt, une reine jeune et triste était revenue d'Afrique.

Les gens qui le connaissaient disaient d'Ambroise Zéphyr qu'il était meilleur que bien des hommes. Bien sûr, il aurait pu supporter quelques améliorations, mais n'est-ce pas notre lot à tous ? Quant à sa femme, elle le décrivait comme l'homme qu'elle aimait. Sans retouches.

Tout à fait, confirma le docteur. Des dispositions.

Ambroise Zéphyr laissa entendre à toute la salle d'attente que le docteur aurait pu réfléchir deux minutes avant de lui suggérer de prendre des dispositions concernant les jours qu'il lui restait à vivre. Des jours qui, ne serait-ce qu'un instant auparavant, lui paraissaient encore s'étirer sur des années. Des décennies, avec un peu de chance. Pas quelques malheureuses semaines.

Tout au plus, précisa le docteur.

La pièce s'emplit de brouillard. Derrière son bureau, le docteur se métamorphosa en ombre embrouillée. L'air prit l'épaisseur d'un gruau, la chaleur d'une étuve. Ambroise lutta pour empêcher l'amas de ses questions de se répandre par terre en même temps que son déjeuner.

Plutôt mystérieuse, concéda le docteur.

Pas contagieuse, au stade actuel de nos connaissances.

Mortelle ? Oui, sans aucun doute.

Absolument certain.

Ambroise Zéphyr était marié avec Zappora Ashkenazi, une femme plutôt bien dans sa peau. Pour des raisons évidentes, elle avait conservé son nom de jeune fille. Elle aurait aimé naître Française, supportait les imbéciles patiemment et avec le sourire, mais avait les insectes en horreur.

Elle avait entièrement meublé la maison victorienne en kit suédois authentique qu'elle renouvelait selon l'usure et les limites de leur budget. Elle s'était résignée à l'idée que le *pied-à-terre** dans le sixième arrondissement dont elle rêvait n'était pas pour demain. Elle était contente comme ça.

Ce qui ne l'empêchait pas de porter les fringues les plus chic qu'elle puisse s'offrir. Initiée aux mystères du dégriffage, des aubaines et des boutiques d'occasion, elle ne portait que du rouge, du noir et du blanc. Elle ne reculait jamais devant les exigences de l'accessoirisation : ses boucles d'oreilles allaient toujours à ravir avec le reste de sa tenue. Elle possédait une paire de talons aiguilles qui lui faisaient mal rien qu'à les regarder. Mais Ambroise les aimait. Cela suffisait.

Elle lisait de tout. Sagas russes, délices à la française, romans noirs américains et journaux à potins locaux s'entassaient en pile

---

* Les expressions en italiques suivies d'un astérisque sont en français dans le texte (NDLT).

bancale à son chevet. Si ce n'était pas romanesque, cela évoquait trop l'école. La littérature d'avant-garde la laissait de marbre ; elle s'y ennuyait profondément, allant jusqu'à désespérer de l'avenir du roman. Elle ne savait plus combien de fois elle avait lu *Les Hauts de Hurlevent*.

Elle était capable d'entrer dans une cuisine qu'elle n'avait jamais vue de sa vie et de préparer – sans recette – un plat digne d'une critique sublime, tout cela en la moitié du temps qu'il fallait à son mari pour dénicher un œuf à se faire cuire. Sa cuisine à elle était garnie de livres de recettes qui n'avaient jamais reçu la moindre éclaboussure, la moindre goutte de sauce. Elle aimait les lire et les exposer ; elle adorait sentir leur poids dans ses mains. Ils complétaient la pièce. Un peu comme des boucles d'oreilles.

Les hommes la faisaient rire. Avec eux, elle se montrait sous son meilleur jour. La plupart des barbes lui plaisaient, contrairement à la plupart des moustaches. Il suffisait qu'elle entende parler de tatouages pour froncer les sourcils. Taille, poids et dimensions lui importaient peu. Leurs manières et la qualité de leurs souliers, beaucoup. Un cœur chevaleresque, énormément.

Elle avait toujours une épaule à offrir quand une de ses amies éprouvait le besoin de pleurer un petit coup. Elle savait donner de bons conseils, et aussi se taire. Elle pouvait jongler avec des oranges. Elle mentait fort peu, et toujours pour ne pas faire de la peine.

Zappora Ashkenazi assurait la chronique littéraire de la troisième revue de mode la plus lue du pays. Son éditrice rêvait en effet de faire connaître la littérature à ses lectrices, tant l'actuelle que la classique, et si le sujet du livre avait un rapport quelconque avec la mode, tant mieux. Ce poste n'était pas sans défis : à sa connaissance, ni Jane Austen, ni Virginia Woolf, ni Marguerite Duras n'avaient jamais assemblé de collection printanière. Mais à chaque nouvelle parution, les fidèles dévoraient sa chronique « Sur ma table de nuit » avant tout le reste. Elle était connue pour l'économie de son style et le soin qu'elle mettait à éviter les comparaisons. Son premier lecteur était son mari. Chaque mot, chaque version. Tu as toujours des histoires passionnantes à raconter, lui disait-il.

Zappora était entrée dans le monde de la mode comme habilleuse pour un photographe. Comme boutonneuse, agrafeuse, redresseuse de cols, étaleuse de jupes, attacheuse de pantalons, remonteuse de zips. Au bout de la première heure du premier jour de son premier vrai boulot, son tout premier mannequin la baptisa de son premier surnom.

Zip.

Qu'est-ce qu'elle était fière.

Zip n'était pas tout à fait aussi grande que son mari, ni aussi mince, ni aussi âgée. Toutes les huit semaines exactement, elle se faisait couper les cheveux, qu'elle avait châtain foncé et très fins. Avec un peu de couleur au besoin, ou un petit ruban.

Elle avait les yeux ornés de pattes d'oie. Pour lire, elle portait des lunettes qu'elle avait dénichées dans une petite boutique parisienne qui faisait le coin avec une librairie ancienne.

Assise sans rien dire à côté de son mari, Zip trouvait cela très curieux que son corps ait cessé de fonctionner. Cette impression que le docteur parlait comme s'il était sous l'eau.

Elle se demanda ce qui se produirait si elle se levait, si elle sortait de la pièce. Ou encore mieux, si elle n'était pas venue du tout. Elle s'accrocha à cette perception.

Je ne suis pas dans cette pièce.

Ambroise n'est pas en train de se décomposer; le tas de pâte inconnu qui sue à côté de moi, ce n'est pas lui.

Nous sommes à la maison, en train de préparer un repas pour nos invités, ou de décider quel film nous allons regarder, ou de choisir un livre à partager au lit, ou d'observer, depuis le perron, cet imbécile de chat pourchassant ces idiots de moineaux.

Nous ne sommes pas ici.

Tout cela n'est pas en train de nous arriver.

Selon la personne qui racontait l'histoire, Ambroise et Zip s'étaient rencontrés soit pour la première fois, soit pour la seconde, dans les bureaux de Dravot & Carnehan. À l'époque, la troisième revue de mode la plus lue du pays n'était encore qu'un beau projet. C'est justement pour remédier à cet état de choses qu'une présentation destinée au tout-Londres publicitaire avait été organisée.

Messieurs Dravot et Carnehan trônaient à un bout de la table, longue à l'excès, de la salle du conseil. Debout dans un coin, Ambroise se donnait du mal pour avoir l'air créatif. Il était le seul homme dans la pièce à ne pas porter de cravate. L'équipe chargée de présenter la revue était menée par une éditrice qui parlait douloureusement fort, escortée d'une jeune rédactrice fébrile que l'on présenta comme « la jeune miss Ashkenazi, qui assurera la direction de notre contenu littéraire ».

Plus tard, Ambroise admit avoir été frappé par l'impression d'avoir déjà rencontré la jeune miss Ashkenazi quelque part. Il n'arrivait pas à préciser son intuition, mais elle avait une poignée de main petite, chaude, à peine un peu humide. Il n'avait plus vu qu'elle dans la pièce. Et à plusieurs reprises, il avait plissé les yeux pour mieux l'apercevoir manger des tapas, torse nu sur une plage d'Espagne. Elle devait avoir vingt, tout au plus vingt-deux ans. Ambroise expliquait volontiers que c'était difficile à estimer avec précision, à cause de la chaleur et de la réverbération du soleil sur la mer.

Zip aussi s'était sentie toute drôle tant que la réunion s'était poursuivie. Elle n'en était pas absolument certaine, mais elle avait l'impression de connaître l'homme plutôt séduisant qui se taisait dans un coin. (Mais elle n'avoua jamais à personne l'agréable chaleur provoquée, tout au long de la présentation, par les efforts d'Ambroise pour ne pas regarder ses seins. Ni qu'elle avait trouvé un charme juvénile à ses plissements d'yeux répétés.)

Avec le recul, Ambroise et Zip s'entendaient pour déclarer que la réunion n'avait que trop duré. Tandis que la pièce résonnait de promesses de se passer un coup de fil, Ambroise complimenta miss Ashkenazi sur ses lunettes. C'est à ce moment que Zip se rappela où elle avait déjà vu cet homme.

Un café ? proposa alors Ambroise.

Je m'appelle Zappora. Zip, en fait.

Mais si vous aimez mieux ne pas…

Zip sourit.

Vous êtes sûrement très occupée… ce n'est pas grave. Bon. *Zip*? Bien. Charmant. Oui. Une autre fois peut-être… Ne vous ai-je pas déjà rencontrée quelque part ? Non, je me trompe. Voilà. Bon, alors. Désolé.

Zip se remémorait la pluie sur Paris. Une tasse de thé, j'adorerais, dit-elle.

Ambroise accompagna l'équipe de la revue jusque dans la rue. Pendant que les autres attendaient un taxi et comparaient leurs impressions en vue de la prochaine présentation, Zip invoqua un reste de nervosité et promit à l'équipe de les rattraper. Quant à Ambroise, il ne remit pas les pieds à son bureau.

Ils passèrent le reste de la matinée et la majeure partie de l'après-midi dans un minuscule café tout près de Covent Garden. Le lendemain, Ambroise refit surface au DraCar sur le coup de midi, arborant, en plus d'un large sourire, une version fripée des vêtements qu'il portait la veille.

Ambroise Zéphyr déclara plus tard que Zip était la seule femme avec qui il eût jamais été honnête. Pour rien au monde il n'aurait intentionnellement trompé qui que ce soit (à part, ici et là, quelques bobards sans gravité), mais avec Zip, jamais il n'éprouva le besoin de se rendre intéressant, d'atténuer un détail malencontreux ni d'exagérer pour l'impressionner. En dépit du bon sens, elle s'intéressait à lui tel qu'il était, et non comme il aurait voulu être.

Pas une fois depuis ce premier matin dans la salle de réunion, ou même – selon la personne qui racontait l'histoire – plusieurs mois auparavant, dans une étroite rue de Paris, Zip et Ambroise n'eurent à faire le moindre effort.

Ils se marièrent près d'une statue de Peter Pan, au pied d'un saule dont l'histoire n'a pas retenu le nom.

La petite cérémonie se déroula sous la pluie battante, en présence de la parenté des deux côtés qui, mal à l'aise comme toutes les nouvelles belles-familles, finit par maugréer de concert contre la pluie, le lieu choisi, toute cette sacrée simplicité. Le marié écrasa du talon une ampoule grillée trouvée dans la petite maison victorienne entièrement nue qu'ils venaient d'acquérir.

Le dimanche suivant, une annonce parut dans les pages mondaines des journaux :

> ZÉPHYR / ASHKENAZI Samedi dernier, à Kensington Gardens. Ambroise Zéphyr (Esq.) et Zappora Ashkenazi (Ms), avec pour témoins Katerina Mankowitz (Mad.), de Bayswater, et Frederick Wilkes (Esq.), du Foreign Office. La nouvelle mariée, qui gardera son nom de jeune fille, portait un ensemble grège entièrement d'époque remis à neuf par Umtata, d'Old-Jewry. Le couple passe actuellement sa lune de miel sur le continent. Ses projets à long terme ne sont pas connus au moment de mettre sous presse.

Pourquoi vous? Pourquoi n'importe qui? rétorqua le docteur.

J'ai bien peur que non. Rien à faire.

Improbable, mais qui sait.

C'est possible, mais j'en doute.

Combien de temps? Trente jours. À peu de chose près.

Une diminution possible des facultés. Vue embrouillée, acouphènes, engourdissement du bout des doigts. Ce genre de symptômes. Tout ce que je peux vous dire, c'est que ça ne traîne pas.

Oui, admit le docteur, injuste en effet, je trouve ce mot très à propos dans un cas comme celui-ci.

Le paternel d'Ambroise Zéphyr gagnait sa croûte en tournant des phrases pour l'un des quotidiens les plus respectés du pays. C'est peu après avoir rédigé l'annonce du mariage de son fils qu'il prit sa retraite anticipée. Cela m'aurait suffi de le lire dans le journal, confia-t-il à sa femme.

M. Zéphyr mourut cinq jours plus tard. Son cœur cessa de battre sur le chemin de l'épicerie du coin, où il était parti chercher les journaux du matin et du lait. Sans raison apparente, statua le coroner.

La mère d'Ambroise appela son fils à son bureau du DraCar. Quand ce dernier raccrocha, il envoya sa collection de caractères d'imprimerie anciens valser d'un bout à l'autre de la pièce, fracassant la vitre qui le séparait du service création. Il resta assis là, laissant la matinée s'écouler, au milieu des tessons de verre, sous le regard fixe des jeunes loups.

Pendant les mois qui suivirent, Mme Zéphyr se mit à appeler son fils de jour comme de nuit. Elle avait mal ici, des brûlements là, pleurnichait-elle. Convaincue qu'on en avait modifié la recette bicentenaire, elle trouvait même à redire à son thé. Comment osaient-ils. Et de se lamenter sur la reine.

Les bons jours, Ambroise lui offrait, le plus gentiment possible, de l'accompagner à la National Gallery. Il y aura trop de monde, objectait-elle. Qu'est-ce qu'il y a à la télé? Non, pas ce thé-là.

Par un beau dimanche après-midi, Ambroise lui rendit visite à l'improviste. Guidé par ses geignements, il trouva sa mère assise au beau milieu de la cuisine, cernée par toute une semaine de quotidiens.

Je n'arrive pas à me rappeler son visage, gémit-elle.

Le lendemain, un voisin téléphona à Ambroise pour l'avertir que sa mère s'était paisiblement éteinte dans son sommeil. Et ce soir-là, pour la première fois depuis qu'il avait atteint l'âge de lire, Ambroise Zéphyr n'ouvrit pas le journal. Il se passait dans le monde des événements autrement importants.

Ambroise Zéphyr était assis sur le perron, figé, muet. Peut-être avait-il vu le vieux monsieur du numéro douze faire le tour du parc, son roquet nain sous le bras. Ou la dame du numéro dix-huit rentrer du boulot, précédée des bonds de ses deux prodiges brandissant leur production artistique du jour. Ou le matou miteux du quartier quitter à regret son perchoir sur l'appui de la fenêtre pour épier les oiseaux d'un air menaçant.

Cette nuit-là, Ambroise et Zip firent l'amour, ou quelque chose d'approchant. Brutalement, avec fureur, avec urgence, les larmes aux yeux. Ambroise se retourna et descendit l'escalier sans dire un mot. Parfaitement immobile, Zip contemplait le plafond. Ses larmes lui coulaient dans les oreilles. Elle crut entendre son mari trembler dans l'obscurité.

Les débuts d'Ambroise Zéphyr dans l'existence furent entourés d'amour, bien qu'éclipsés par certains événements. Les contractions de Mme Zéphyr s'étaient déclenchées alors qu'elle écoutait la radio : le roi venait de mourir et sa fille, jeune et maintenant reine et triste, revenait du Kenya. M. Zéphyr dut rester plus longtemps au journal – une nouvelle reine, cela n'arrive pas tous les jours – et ne put faire connaissance avec son fils qu'une fois l'édition spéciale sortie des presses.

À peine quelques années plus tard, un samedi après-midi, M. Zéphyr emmena le jeune Ambroise visiter les locaux du journal. Il montra à son fils la collection désuète de caractères d'imprimerie, de plomb et de bois, exposée dans le hall d'entrée. Le jeune Ambroise prit plaisir à sentir dans sa main le volume et le poids des petits blocs de caractères. La disposition ordonnée de chaque famille dans le grand tiroir plat qui lui était réservé – un compartiment par lettre – lui plut beaucoup. Mais il vit d'un très mauvais œil que le Z doive se contenter d'un si petit espace par rapport au A, et dénonça cette injustice avec colère.

Allons donc, fit le père. L'alphabet, c'est comme ça. Certains caractères ont plus de chance que d'autres. Le A a peut-être plus de place dans le tiroir, mais cela ne fait pas du

Z une lettre moins importante, surtout quand il s'agit de mots comme zèbre.

Ou Zéphyr, ajouta Ambroise en se redressant de toute sa petite taille.

Ou Zanzibar, continua son père. C'est une île très, très loin de la nôtre.

Une île qui a *deux* Z ?

Mais oui. Et deux A.

Je crois que j'aimerais bien cet endroit, décréta Ambroise.

Mme Zéphyr débutait comme commissaire-priseuse dans une grande maison de vente aux enchères prestigieuse. La plupart du temps, les œuvres d'art qu'elle évaluait ne possédaient aucune de ces deux caractéristiques. Quand son fils eut huit ou peut-être neuf ans, elle lui offrit sa première visite à la National Gallery. Pour lui faire voir de l'art convenable, précisa-t-elle.

Elle lui expliqua tout ce qu'ils voyaient : qui était l'artiste, d'où venait le tableau, s'il était ancien ou récent, qui étaient les gens couchés sur la toile. Ambroise trouva plusieurs peintures fort assommantes, particulièrement celles qui représentaient des enfants dédaigneux vêtus d'habits de satin au col ridicule. Mais il aima celles où l'on voyait beaucoup de sang. Ou des gens à l'agonie, préférence dont il se garda de faire part à sa mère.

Ambroise remarqua également l'abondance de représentations de femmes nues :

allongées sur des lits, luttant avec des hommes nus eux aussi, portant des bébés nimbés de lumière ou contemplant leur reflet dans un miroir. Il se demanda s'il arrivait aux artistes qui peignaient ces femmes d'entrer en érection, question qu'il se garda également de poser à sa mère.

Dès que Mme Zéphyr se mettait à discourir au sujet du courant de ceci ou de l'école de cela, Ambroise cessait d'écouter. Les objets que j'ai devant les yeux sont ce qu'ils sont, pensait-il. Certains tableaux le faisaient rougir, d'autres réfléchir, d'autres éclater de rire. L'autoportrait de Rembrandt avec son bonnet de clown jaune, sa barbe clairsemée, ses yeux perçants ; les jeunes filles joufflues et leurs chiens plus joufflus encore ; les tournesols géants qui débordaient de leur pot comme des êtres végétaux le regardant de leur énorme unique œil vert.

... peint par un jeune homme très perturbé, discourait Mme Zéphyr. Il s'est même mutilé une partie de l'oreille.

Ambroise reprit sa contemplation. Ce que j'ai sous les yeux se suffit, se dit-il. Nul besoin des discours de sa mère sur les symboles et le sens, le génie et la folie. Malgré la vaste étendue de ses connaissances, elle ne savait pas s'arrêter de tout compliquer. Avec ou sans oreille, avec ou sans folie, ces tournesols ne ressemblaient absolument à rien.

Ambroise Zéphyr aimait ce qui lui plaisait et n'aimait pas ce qui ne lui plaisait pas.

C'était simple comme tout.

Zip fut tirée du sommeil par le raclement d'un objet lourd juste en dessous d'elle, entrecoupé du murmure de son mari.

Y aller tout de suite… il faut… partir ce matin… pas le temps… sans attendre… des dispositions… où aller… une liste… A comme…

Nu comme un ver, dégoulinant de sueur, Ambroise fourrageait sous le lit. La grosse valise se coinça dans les ressorts. D'un seul geste, il la dégagea et la jeta sur le matelas.

Autriche?… non… B comme Belize?… non… gens à voir… choses à faire… une liste… un plan… partir maintenant… C comme…

C'était une belle valise bien carrée, en cuir sang-de-bœuf, avec des renforts à chaque coin, des charnières de cuivre, une poignée solide. Une vraie poignée d'homme. Elle n'avait jamais servi qu'à ranger des vieilleries, cela se voyait.

Quand il était petit, les voisins d'Ambroise Zéphyr le trouvaient bien élevé, gentil, tranquille. Le mot « normal » revenait souvent. Si l'on oubliait, bien sûr, les dépliants touristiques. Et les alphabets.

Il passait ses journées seul dans sa chambre à relever les adresses de chaque ambassade, chaque consulat, chaque mission de Londres. De sa plus belle plume, il écrivait à chaque ambassadeur, chaque consul, chaque chargé de mission une lettre leur annonçant qu'il prévoyait visiter leur pays dans un très proche avenir, et si Madame, Monsieur voulait bien avoir la bonté de lui faire parvenir dans les plus brefs délais tous les renseignements possibles sur leur fascinante contrée, veuillez accepter l'expression de mes sentiments les meilleurs, Monsieur Ambroise Zéphyr. Il passait des heures à boucler à la perfection le panache de ses Z.

Il avait collé sur un mur de sa chambre une grande carte du monde (envoyée par le cabinet du premier ministre, auquel Ambroise avait demandé des renseignements sur les nations du Commonwealth, et y avait-il une raison particulière, très honorable et cher Ministre, pour qu'elles soient toutes colorées en rose ?) Les lieux dépeints dans les plus belles brochures en quadrichromie sur papier glacé se voyaient récompensés par une épingle à tête rouge. En quelques semaines, la Suisse ne fut plus qu'un porc-épic sortant sa petite tête rouge de la botte italienne.

Lorsqu'il ne correspondait pas avec de hauts dignitaires, Ambroise Zéphyr dessinait. Des A jusqu'aux Z. Par centaines. Vingt-six à la fois, plus les chiffres et les marques de ponctuation, sans oublier l'esperluette.

Certains de ses alphabets faisaient appel à une iconographie animale peu conventionnelle : *A comme anaconda, B comme bécasse, C comme crapaud.* D'autres évoquaient le monde de la carte : *D comme une plage de la Dominique, E comme la côte de l'île d'Elbe, battue par les vents, F comme les palmiers de la Floride.* D'autres encore combinaient les deux catégories : *G comme un gecko dans la jungle du Gabon, H comme un hérisson haletant dans une hacienda, I comme un iguane italien s'insinuant dans un immeuble du Vatican.* Lorsque son père lui demanda pourquoi le A n'était pas représenté par un avion, le B par une baleine et le C par un chat, le jeune Ambroise lui expliqua que les choses ne se passent pas toujours exactement comme on s'y attend.

Un avion, une baleine, un chat, tout le monde fait ça, soupira-t-il, c'est ennuyeux de faire comme tout le monde, et de toute façon je ne dessine pas très bien les chats, je n'arrive jamais à faire les pattes.

Une liste de quoi ? voulut savoir Zip.

Calcutta... pardon ? chuchota Ambroise. Une liste ? Oui.

De quoi ? Viens te coucher.

De lieux... de choses...

Des choses ? Quelles choses ?

Des endroits... A comme...

Ramenant sous son menton la couette et ses genoux, Zip regarda son mari vider la valise. Des dizaines de brochures, de dépliants, de cartes, de livrets, de carnets, de catalogues, d'encarts et de publicités se déversèrent sur le lit. Il y avait aussi des centaines de dessins allant des plus enfantins, avec leurs couleurs passées, aux plus récents, exécutés d'une main assurée. Tous représentaient des lettres de l'alphabet. De A jusqu'à Z. Tout cela formait sur le lit une montagne de proportions modestes qui glissait vers le plancher.

Où ça ? reprit Zip.

Des choses, répéta Ambroise.

Comme quoi ?

Des lieux. De A à Z, cela fait vingt-six. Un mois, cela fait trente. C'est ce qu'a dit le docteur. Ou vingt-neuf ? En quelle année sommes-nous ? Vingt-huit ? Un mois, à peu de chose près.

Je sais ce que le docteur a dit. Comment te sens-tu ?

Très bien.

Alors viens te coucher.

Toi, que ferais-tu ?

Quoi ?

Toi. Que. Ferais. Tu.

À propos de quoi ?

Du temps, du temps, du temps. Trente jours. Pas le temps. Tu n'as pas écouté, ou quoi ?

Ne me pose pas des questions pareilles.

L'heure du thé passa. Zip resta penchée sur la liste de son mari. *Des lieux... des choses. 1) A comme un tableau à Amsterdam...* Il ne parlait aucunement de mettre de l'ordre dans ses affaires, d'essayer la médecine alternative ni de répandre ses cendres au pied d'un saule anonyme de Kensington Gardens. Zip avait la tête qui tournait. Ce n'est pas mon Ambroise, se dit-elle tout d'abord. Mais c'était bien lui, apparemment.

Paris est si bas dans la liste, qu'est-ce qui viendra après Zanzibar, pourquoi X est-il vide, où, quand, comment, quoi, es-tu devenu fou, est-ce qu'on devrait, est-ce qu'on ne devrait pas, comment peux-tu, ne fais pas ça, ne sois pas ça, ne pars pas sans moi, ne pars pas du tout, sont quelques-unes des pensées que Zip tentait désespérément de maîtriser.

Fronçant les sourcils, elle suggéra plutôt que l'Andalousie devait être plus agréable en cette saison.

Par habitude (et prise de panique, comme elle l'admettrait volontiers plus tard), Zip faisait de la correction. Elle ratura d'un coup de crayon Valparaiso, dont elle n'avait jamais entendu parler, et inscrivit Venise dans la marge.

Ce matin-là, ils firent longtemps l'amour, tendrement, généreusement. Elle, avant lui.

Ensuite, ils parlèrent du Pont des Soupirs.

Parti de Harwich, le ferry traversait une mer froide et agitée. Ne goûtant guère la traversée, Zip en passa la majeure partie dans la cabine tandis qu'Ambroise, rabroué pour sa sollicitude stérile, s'accrochait à la rambarde, guettant les lumières de la côte européenne qui s'allumaient à l'horizon. Ils mangèrent le lendemain dans un café d'Amsterdam, en bordure d'une jolie place.

Ambroise portait son costume de voyage en lin, qu'il s'était hâté de repasser et de garnir d'un mouchoir, Zip une blouse de coton blanc et un pantalon capri noir. Ambroise admirait depuis toujours la façon dont cet ensemble faisait mouvoir son dos. Elle avait mis des souliers confortables. Rouges.

Entre deux gorgées de café, deux idées d'itinéraires, Zip se souvint d'une conversation.

Formidable, avait-elle dit.

Pardon. Quoi ? répondit Ambroise.

Le Vélasquez.

Hein? Ah oui.

Ils étaient mariés depuis un peu moins d'un an. Comme elle avait convaincu Ambroise de l'emmener avec lui pour une de ses visites à la National Gallery, rite en général solitaire, Zip avait pris la peine de se documenter un peu.

Vénus au miroir, récita Zip.

On l'appelle aussi la Vénus de Rokeby, fit remarquer Ambroise.

J'imagine que le modèle était la maîtresse de quelqu'un?

Le roi d'Espagne. Philippe, je crois.

Les draps de taffetas noir lui plaisaient, en tout cas.

Au roi?

À sa maîtresse. C'est bien elle qu'une suffragette a attaquée à coups de couteau?

La maîtresse?

La peinture. Tu m'écoutes?

Oui. En effet.

C'est à cause du drap, reprit Zip. Il souligne la forme. Sa forme. Et Vélasquez a fait exprès de lui peindre un reflet flou dans le miroir. Pour forcer l'œil à revenir sur la forme. Enfin, sa forme. Certains critiques ont dit que son reflet avait l'air inachevé. Que l'angle était incorrect. Que c'est son torse qu'on devrait voir dans le miroir. C'est bien?

Pardonne-moi. Oui, oui, c'est formidable.

Qu'est-ce qui est formidable, au juste?

Elle. Ça. Le Vélasquez.

Et pourquoi?

Parce qu'il est là.

C'est tout?

Je crois bien. Oui.

Tu es impossible, s'exclama Zip. Tout ce que je sais, moi, c'est ce que j'ai lu. Ce que j'aimerais bien savoir, c'est ce que tu sais, toi. Ce que tu penses.

De quoi?

Mais du pourquoi de tout ça, enfin. Pourquoi les draps, l'angle du miroir, la maîtresse, le reflet inachevé? Pourquoi l'aimer tant que ça? Pourquoi elle?

Parce que c'est comme ça, dit Ambroise. Formidable.

Tu m'épuises.

Très bien. Puisque tu insistes, elle me fait penser à toi.

Ah oui. Vraiment. Je suis loin d'avoir un si joli derrière.

Ce n'est pas son derrière que j'ai vu.

Vraiment.

J'ai vu son visage. La courbe de son cou. Celle de ses seins, son ventre lisse. Le petit creux de son nombril. Ses yeux.

Tu rêves.

Ce n'est pas de ça qu'il est question?

Ils finirent par décider de ne pas visiter le Rijksmuseum ensemble.

Zip avoua qu'elle ne savait pas trop comment passer la journée. Ambroise fit de son mieux pour la rassurer. Elle n'avait, dit-il, aucune raison de s'inquiéter. Ils s'embrassèrent ; Ambroise partit en quête d'un portrait qu'il avait déjà vu, mais il y avait longtemps, et de très loin.

Le jeune Ambroise était arrivé en retard, car il avait passé la majeure partie de la veille au pub avec Freddie Wilkes.

C'était le plus vieil amphithéâtre du collège, une vaste caverne décorée de plâtres gracieux et qui puait le vernis, la moisissure et la sueur fébrile. Le peu de fenêtres qu'il y avait étaient minuscules, engluées de peinture et percées tout en haut des gradins de bois usés par un ou deux siècles de fonds de culotte de première année.

Ambroise trouva une place dans le fond et consulta son horaire. *Espace du portrait.* En bas, la petite silhouette du prof arpentait l'estrade en brandissant une longue baguette vers la diapositive projetée sur l'écran, un Rembrandt exécuté vers la fin de la carrière du peintre. La reproduction laissait à désirer : pellicule égratignée par des années d'usage, contraste exagéré, détails amalgamés en grosses taches.

C'était un portrait de groupe. *Compagnie du Capitaine Frans Banning Cocq et du Lieu-*

tenant Willem van Ruytenburgh, annonça le professeur. Ce tableau date de 1642. Si vous y tenez, vous pouvez aussi l'appeler *La Ronde de Nuit.*

Selon le recensement martelé par la baguette professorale, la compagnie du capitaine Cocq comptait trente-cinq adultes, deux enfants, un poulet et un chien ainsi que divers mousquets, drapeaux, tambours, lances, cannes et hallebardes.

Le prof parla longtemps pour ne rien dire : éclairage latéral, composition asymétrique, couleurs contrastées. NOTEZ SI VOUS LE VOULEZ BIEN, bramait-il à répétition, la signification de ceci… le symbolisme de cela… la transcendance du genre… un portraitiste de génie.

Soulevant sa grosse tête, Ambroise dévorait la projection des yeux. Pas une fois le prof n'avait mentionné le visage à moitié caché dans l'ombre, à peine visible derrière le groupe, dont les yeux lumineux lui rendaient son regard comme en souriant.

Dans un grand magasin d'avant le déluge, Zip errait d'étage en étage, tenant ici une chemise contre sa poitrine avant de la raccrocher à sa place, tâtant là, sans même la déplier, la soie douce d'une écharpe. Elle essaya un rouge à lèvres dont la teinte était exactement la même que celle de ses chaussures. Les vendeuses voulurent savoir si Madame avait besoin d'aide. Sentant ses yeux déborder, Zip parvint à prononcer non merci et ressortit sans rien acheter.

Elle tomba sur une minuscule librairie au rez-de-chaussée d'un édifice tout de guingois. Dans la vitrine, une pancarte annonçait : À l'intérieur, romans légèrement lus, articles de rédaction et de correspondance. Zip fit le tour de la boutique et finit par se décider pour un petit carnet de cuir aux coins arrondis. À l'intérieur du revers était cousue une pochette destinée à recevoir souvenirs, reçus et menus objets. Le tout était maintenu par un bon gros élastique. Le libraire comptait encore sa monnaie que Zip courait déjà sur le trottoir.

Luttant pour reprendre son souffle, elle eut besoin de s'asseoir, se sentit soudain glacée, crut qu'elle allait vomir. Elle trouva un banc avec vue sur un canal, s'assit sur ses mains pour dissimuler leur tremblement. Une péniche chargée de touristes passa sous ses yeux qui s'emplirent de panique lorsqu'ils se mirent à se baisser tous ensemble en prévision des passerelles qu'ils auraient bientôt à esquiver.

Le tremblement cessa aussi soudainement qu'il avait débuté. Zip n'avait rien pour s'essuyer les yeux. À son grand embarras, elle finit par utiliser la manche de sa blouse. Se leva, les genoux flageolants, et s'en fut rejoindre son mari à la gare.

Après avoir consulté le tableau des départs et vérifié que le train de nuit était à l'heure,

Ambroise Zéphyr descendit sur le quai où il avait rendez-vous avec sa femme. Pour un observateur non avisé, il avait l'air parfaitement satisfait d'un monsieur en vacances.

Zip regarda s'approcher son mari, se détendit à la vue de son allure décontractée et ferma son carnet. Une reproduction criarde d'un portrait de groupe signé Rembrandt dépassait de la pochette de la couverture. Mais Ambroise n'y fit pas attention. Il était bien trop pris par son histoire.

Bien plus grand que je ne m'y attendais. Énorme. Une compagnie de géants, oui ! Et il était là, derrière les gardes, les enfants, le poulet et le chien, derrière les lances, les hallebardes, les cannes, les tambours, les drapeaux, les mousquets… le peintre en personne, jetant par-dessus une épaule un regard tellement rieur… je te jure qu'il m'a fait un clin d'œil.

Ambroise faisait les cent pas, agitant les bras comme un chef d'orchestre épileptique.

Les drapés, les courbes, les bannières, tant d'action, Rembrandt à son meilleur, somptueux, audacieux, chaud, débordant de costumes incroyables… le lieutenant tout en jaune, tu te rends compte !

Ambroise reprit son souffle.

Et le génie ? le relança Zip. L'utilisation de la lumière ?

Un boulot de mercenaire, fit Ambroise. Commandé et payé par le capitaine et ses arquebusiers. Ha ! Le voilà, ton génie. Le voilà, le grand art.

Zip sourit. Jusque-là, elle avait toujours cru que le Rembrandt n'était que ce qu'il était.

Dans le train pour Berlin, Ambroise dormit le mieux du monde pour quelqu'un qui passe la nuit assis sur une banquette. Zip se cramponna tant et si bien à son carnet qu'elle sentit ses mains s'engourdir. À plusieurs reprises, elle l'ouvrit pour voir. Des milliers de mots tournoyaient dans sa tête, mais elle ne parvint pas à en déposer un seul sur la page.

Elle finit par abandonner, s'abîma dans la contemplation du paysage tout gris qui défilait derrière son reflet dans la vitre.

Ils s'assirent à une terrasse du boulevard Unter den Linden. Le ciel était bleu, dégagé, accueillant. Les jeunes feuilles vert tendre des tilleuls offraient une ombre agréable.

La porte de Brandebourg dressait non loin la lourdeur maussade de ses colonnes de pierre. Touristes, citadins, amis et amoureux prenaient l'air matinal, la traversant comme si elle n'était pas là.

Zip Ashkenazi étira les jambes et ôta ses souliers, l'attention occupée par un artiste ambulant qui préparait son premier spectacle de la journée. Il déplia son lutrin, puis accorda un violon déglingué. Elle avait passé une mauvaise nuit, mais ce matin-là, à cet endroit-là, elle était bien.

Ambroise bouillait d'impatience. Il savait qu'il devait y aller, qu'il devait régler cette histoire une fois pour toutes, que cela ferait plaisir à Zip. Ce qui ne l'empêchait pas de se tortiller sur sa chaise à la recherche d'une position confortable, ni de fixer sur la porte un œil renfrogné.

Il avait beau prétendre qu'il ne pensait qu'à son oncle, Zip se doutait bien qu'il y avait autre chose.

Un jour, Ambroise lui avait parlé de son oncle Jack. C'était lui qui, en réponse aux innombrables questions de son neveu, lui avait enseigné les subtilités de la vie. Le premier gentleman que j'aie jamais rencontré, aimait dire Ambroise.

Tous les ans, le jour de l'Armistice, oncle Jack descendait en ville, vêtu du même veston usé, de la même cravate réglementaire que l'année précédente. Ses souliers étaient toujours bien cirés, il sentait bon l'homme rasé de frais, il se levait chaque fois que Mme Zéphyr entrait dans la pièce ou en sortait. Timide, il souriait comme il marchait : en boitant.

Un matin de novembre particulier, le jeune Ambroise demanda à son oncle de lui raconter la guerre. Qu'avait-il fait ? Où était-il allé ?

Partout, répondit Jack. En France, en Hollande, à Berlin.

C'est ça. En Allemagne.

Ce n'était pas très amusant.

Les gens n'étaient pas très gentils.

Ils ne nous aimaient pas, j'imagine. Il y avait beaucoup de gens qu'ils n'aimaient pas.

C'est vrai. Des gens qu'ils n'avaient aucune raison de tuer.

Des amis? Quelques-uns.

Non. Je n'ai pas pu aider mes amis. J'étais loin.

Quelques années plus tard, à l'enterrement de son oncle, Ambroise lut quelque chose au sujet d'une certaine Sylvia, qui avait trouvé la mort quand sa maison, près de Spitalfields, avait été bombardée. Jack lui avait laissé un message où il lui demandait pardon de ne pas avoir été là pour la protéger.

À une étrange exception près, Zip savait qu'Ambroise posait sur la vie un regard tout à fait moderne. Il se tenait raisonnablement informé des affaires du monde, n'ignorait pas que rien n'est tout noir ou tout blanc, faisait confiance à la BBC. Mais quand elle évoquait l'époque où elle travaillait sur des tournages extérieurs en Allemagne, elle voyait son regard devenir aveugle, noir, de cendre. Au centre, oppressante, Berlin.

Avec sa grisaille. La pluie qui menaçait en permanence, les rues toujours humides. Ses monuments tout en pierre grise, grands, durs, sans fenêtres.

Ses habitants. Rigides, amers, perpétuellement renfrognés. Leur langue épaisse, heurtée, incapable d'exprimer l'amour. Rires : faux. Sourires : aucun. Où étaient les enfants?

Et la musique. Inécoutable. Funèbre. Assourdissante.

Sans parler des fantômes. Toujours à rôder dans leurs uniformes noirs, gris, bruns. Quant ils n'étaient pas tapis dans les portes cochères, ils lançaient des bombes sur les maisons ou brûlaient les livres de Zip. Ne la lâchaient pas de l'œil, guettant le moment de l'enlever.

C'est fini, tout ça, répéta Zip. Jack, tout ça, c'est le passé.

Elle tira Ambroise de sa chaise et l'emmena visiter la ville qu'elle connaissait.

Ils se frayèrent un chemin jusqu'au palais du Reichstag. Là où régnait autrefois la dictature des fous s'ouvrait aujourd'hui un atrium étincelant. Par la coupole vitrée se déversait le ciel. Il leva le visage vers sa chaleur.

Ils firent le tour du jardin zoologique dont, jadis, la population avait dévoré les bêtes abandonnées. Ce jour-là, il était envahi d'enfants qui se moquaient des singes, gesticulaient à l'intention des pandas ou se faisaient prendre en photo par leurs parents fatigués.

D'un boulevard à l'autre, Zip et Ambroise se frottèrent à la foule des cafés bondés et des boîtes de nuit au néon, croisant de tout : mendiantes gitanes, mannequins blasés, amoureux électriques, vieilles dames et leurs chiens décatis, taggeurs provocants, colporteurs tonitruants, femmes à vendre, hommes souriants comme des espions de BD qu'Ambroise trouva très amusants.

Un peu perdus peut-être, ils suivirent l'Oranienburgerstrasse jusqu'à un vieux quartier où ils demandèrent leur chemin à un jeune homme hirsute et barbu qui tendit vaguement le bras le long de la rue en marmonnant dans sa moustache. Zip le remercia avec le peu de yiddish qui lui restait. Esquissant un large sourire, l'homme entraîna Ambroise et Zip dans la bonne direction.

Ils se retrouvèrent sur le boulevard, sous les tilleuls, au crépuscule. Le violoniste ambulant donnait son dernier rappel. Ambroise vit s'approcher de lui une femme qui portait un col roulé noir sur un pantalon rouge. Elle lui chuchota quelque chose à l'oreille. L'artiste s'inclina et attaqua les premières notes du morceau demandé par la dame. Celle-ci se tourna vers son compagnon, un homme grisonnant qui n'accepta qu'en hésitant sa main tendue. Le couple dansa une valse composée par un Allemand dont Ambroise avait oublié le nom.

Ça, c'est maintenant, souffla Zip en se penchant pour ramasser un petit caillou qu'elle glissa dans sa poche. Le ciel s'éteignit, les étoiles s'allumèrent.

Ambroise sourit. Il lui demanda si elle avait dit quelque chose. Si elle était bien. Si elle était heureuse.

Menu du petit déjeuner que servirent à Ambroise Zéphyr les distributrices du TGV qui les emmenait en France : café boueux et croissant rassis. Il regarda sa montre, prit la mesure des champs qui défilaient à la fenêtre et annonça à sa femme qu'avec un peu de chance, ils prendraient à Chartres un bien meilleur repas de midi.

Pour des raisons évidentes, Zip se passa de déjeuner. Elle jonglait en silence avec des chiffres : jours écoulés, jours restants, jours à venir. On ne pourrait pas rester un peu au même endroit, se dit-elle. *C rime avec P.* P comme Paris dont trop de lettres, trop de jours la séparaient.

Elle essaya de penser à des façons astucieuses de redéfinir l'ordre alphabétique, mais son cerveau refusa l'exercice, préférant imaginer un vrai repas, des vêtements propres, une sieste, un coin tranquille au bord de l'eau avec vue sur la cathédrale. Au minimum, manger, changer de sous-vêtements et se reposer pour passer le temps pendant qu'Ambroise irait à l'église.

Il racontait à qui voulait l'entendre l'histoire de son meilleur coup en publicité. Ce matin-là, commençait l'histoire, Ambroise Zéphyr avait annoncé à un client qu'il n'avait pas besoin d'une campagne.

Qui était ce client? Une petite église perdue au milieu de Londres. Pendant plus de cent ans, elle avait servi sa congrégation sincèrement et simplement. Mais les temps – c'est dans leur nature – avaient changé. La paroisse s'était vidée au profit de la campagne, laissant la place à une population moins fervente. Les gens qui croyaient encore en quelque chose l'exprimaient de toutes sortes de façons. La petite église avait maille à partir avec ses concurrents.

À la façon des êtres jeunes et neufs, un prêtre débutant, frais débarqué dans la paroisse, avait vu la possibilité de laisser sa marque. Il s'agissait, glissa-t-il à Ambroise dès leur première rencontre, de ramener les culs sur les bancs.

Les questions religieuses n'évoquaient rien de très précis pour Ambroise. Enfant, si ses souvenirs étaient bons, il était peut-être allé une ou deux fois au petit catéchisme. Le cinéma l'avait familiarisé avec quelques passages de la Bible. Mais il connaissait par cœur la première loi de sa profession : à la place de ton client tu te mettras. Il fut donc décidé qu'il visiterait la petite église.

Entourée de tours à bureaux de verre et d'acier, cernée par des commerces de tout poil, elle se blottissait en silence au bout d'une petite rue bruyante. À l'intérieur, trois bancs de bois dormaient de chaque côté d'une allée centrale. Sur chacun d'eux était posée une gerbe de fleurs fraîches. On les change tous les deux jours, déclara le prêtre avec beaucoup de fierté. On prend ce qu'on trouve au marché. Ce jour-là, la nef sentait la lavande.

Une croix sobre était posée sur l'autel, un simple pupitre en bois. Le soleil, qui parvenait à se glisser entre les tours à bureaux, pénétrait par une rosace perchée juste sous le toit.

Au plafond, quelqu'un avait peint un ciel pastel. Un nuage ici ou là. D'anges, de chérubins ou d'auréoles, point. Tout autour, les murs étaient ornés de douze vitraux minuscules. C'est nouveau, se rengorgea le prêtre.

Ambroise s'attendait à y trouver les scènes d'usage, inscrites en bouts de verre épais au ton austère, aux couleurs boueuses. Mais chaque image était gracieuse comme une miniature. L'une représentait une jeune maman derrière une poussette. Dans l'autre, une bande de petits garçons jouait au football. Ici, on voyait une noce. Là, deux amoureux qui s'embrassaient. Un vieux monsieur promenant son chien dans un parc, des adieux éplorés, un retour à la maison. Les vitraux représentaient bien un chemin, mais c'était celui de tout le monde.

Ambroise contempla longtemps les vitraux du jeune prêtre, suivant sans dire un mot les murs de la nef. L'ecclésiaste finit par se racler la gorge afin de solliciter son opinion éclairée. Par où allons-nous commencer? s'enquit-il.

Par une fête, répondit Ambroise.

Une fête?

Avec un bar et de la musique de tous les genres. De quoi manger, toutes sortes de plats. Des jeux pour les enfants. De quoi s'amuser.

Une fête?

N'importe quel jour, sauf un dimanche.

L'histoire d'Ambroise se terminait toujours par l'anéantissement des espoirs du jeune prêtre. Nul besoin de temps d'antenne, de panneaux d'affichage, de suppléments couleur ni de témoignages de stars.

Des sandwiches, voilà ce qu'il vous faut, dit Ambroise. Un lieu où l'on peut se reposer, contempler le ciel tout bleu avec ses petits nuages et reprendre son souffle. C'est ce lieu, et Ambroise martela ses paroles d'un index convaincu sur le banc le plus proche, qui ramènera les culs. Voilà toute la publicité dont vous avez besoin.

Charmante histoire, tous ceux qui l'avaient écoutée s'accordaient là-dessus, mais difficile à gober.

Comme promis, le repas de midi fut plus que correct. Le garçon lui offrit des madeleines enrobées de chocolat. Comme il plaît à madame, susurra-t-il. Zip rougit en surprenant les discrets signes de tête que s'échangèrent son mari et le maître d'hôtel lorsqu'Ambroise sortit du café. Grignotant sa madeleine, elle le regarda tourner dans une rue qui menait vers la cathédrale.

Zip trouva un atelier de confection pour dames où elle essaya un nouvel ensemble : chemise noire, foulard de soie rouge, jupe blanche mi-longue. L'effet ravigotant de la fringue française était très présent à son esprit. Elle prit chez un fleuriste une petite botte de fleurs printanières. Suivant les pavés d'une venelle abrupte, elle repéra un coin tranquille au bord de l'eau avec vue sur la cathédrale.

Elle ouvrit son journal, pensa à écrire. *E comme la tour Eiffel, qui se dresse à Paris. L comme Londres, où est notre maison. Z comme Zip. T comme terreur. D comme désespoir.*

Toujours pas un mot dans le carnet. Les ombres commençaient à s'allonger quand Zip remonta la venelle en direction de la cathédrale. P, se dit-elle, comme perdue.

Le soir dispersait la foule. Elle n'eut aucun mal à trouver Ambroise. Planté près du milieu de la nef, au cœur du labyrinthe inscrit sept siècles auparavant dans le sol de pierre. Quelques rares pèlerins suivaient à genoux les circonvolutions du chemin. Quel espace immense. Vide, sombre, froid. Pesant sur Zip comme une menace.

Les célèbres vitraux de Chartres s'élevaient tout autour d'Ambroise, inondaient de rayons bleus le vide glacial de la sévérité gothique ; racontaient des histoires, diffusaient des réponses, faisaient pleuvoir depuis toujours leur réconfort sur les gens du pays comme sur les pèlerins et plus tard les touristes, sur les fervents comme sur les curieux. Bien avant la télévision, les panneaux, les encarts et les stars.

Zip ne s'éloigna pas trop de la porte. Elle fixa dans sa mémoire l'image de son mari contemplant la cathédrale, entouré de vieilles dames à genoux. Ne sachant trop où porter son regard, il tourna sur lui-même, aperçut Zip et sourit.

C'était la pure vérité, se dit-elle. Une de ses meilleures journées en publicité.

Minuit approchait. Le cellulaire de Zip Ashkenazi bourdonna contre sa hanche, ce qui lui donna immédiatement des sueurs froides.

C'était l'éditrice de la troisième revue de mode la plus lue du pays, une femme acidulée nommée Prudence. Gueularde au travail, criarde au téléphone.

OÙ ES-TU ?

La voix de Prudence tira Ambroise de sa contemplation de la Normandie qu'ils traversaient en train. Il jeta un coup d'œil à sa montre et adressa à sa femme une grimace de sympathie.

En France, répondit Zip.

ON EST EN TRAIN DE BOUCLER LE NUMÉRO. La photo m'informe qu'il manque une page. Ta page ? VIDE. *Les coups de cœur des gens heureux.* Mis à part le fait que tout le monde s'en fout… OÙ EST-ELLE ?

J'allais t'appeler.

C'EST LA FIN DU MONDE, ZIP. Les abonnements sont en chute libre. On m'annule des pubs. L'imprimeur veut son argent. Tu as démissionné sans me le dire, c'est ça ?

J'aurais dû t'appeler.

LÀ, T'AS MÉCHAMMENT RAISON. J'en ai plein le dos de maintenir cette feuille de chou à bout de bras. T'es malade, c'est ça ?

Il fallait que je prenne du temps.

MAIS JE T'EN PRIE. Et moi, bordel, je fais quoi ?

Envoie ta page à la photo.

J'aurais dû appeler. C'est vrai. Je suis désolée.

PAS ASSEZ, Zip. SÛREMENT PAS ASSEZ.

Il s'est passé quelque chose.

QUELQUE CHOSE COMME TON DÉPART ? Si tu me lâches, je te jure que…

J'ai besoin d'un mois. Rien qu'un mois. À peu de chose près.

C'est VRAIMENT PAS le moment. Tu m'appelles dès que tu rentres. À LA SECONDE…

Zip avait raccroché.

Ambroise lui emprunta son téléphone et composa le numéro du DraCar. Il y aurait bien quelqu'un. Greta était toujours là.

Greta ? Ambroise.

En France.

Je sais. Désolé.

Rien. Il s'est passé quelque chose.

Désolé. Non. Je ne quitte pas la boîte. Pas exactement.

C'est plus personnel. Je t'expliquerai.

Oui, j'aurais dû appeler.

Mais il sera très content, le client. Le scénario est prêt, j'ai réservé le plateau, le casting est fait, l'habilleuse au boulot, les maquettes sur mon bureau.

Bien entendu, j'en suis sûr. C'est moi qui l'ai écrit.

La présentation? Je te vois très bien la faire.

Impossible. Désolé. De toute façon, il faut que ce soit toi. C'est ton agence, ton client. Moi je ne suis que ton employé.

Mais non, le client ne t'a pas en horreur.

Mais non, il n'a pas les Allemands en horreur.

Demande aux jeunes de te donner un coup de main. Montre-leur la porte. Ils comprendront.

Ça va. Merci.

Combien de temps? Un mois. Peut-être moins. Je te tiens au courant.

D'ici là, tu t'en sortiras très bien.

Je t'appelle dès que je peux.

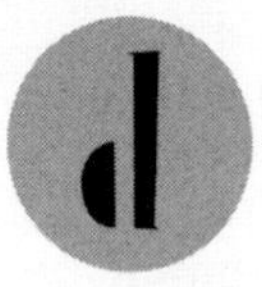

Par un bel après-midi, Zip et Ambroise contemplaient la Manche, confortablement allongés sur des transats. Cela faisait quatre jours qu'ils avaient quitté la maison. Le soleil à son zénith n'empêchait pas la brise du large de rafraîchir une journée plus hivernale que printanière. Sans le temps écoulé, à une autre époque de l'année, ils auraient pu passer pour n'importe quel couple en voyage de noces.

Zip avait beau scruter l'horizon et son mari pointer du doigt, elle n'arrivait pas à apercevoir l'Angleterre. Là, là, insistait Ambroise, brandissant son index vers le nord. Zip ne voyait que la rangée de tentes de plage dont les rayures striant le sable annonçaient gaiement la saison prochaine. Une petite fille bottée de caoutchouc bleu vif qui jouait avec un grand chien dans le friselis des vagues. La mer calme en toile de fond. Quelques barques de pêcheurs qui paressaient au loin ; deux ou trois navires de ligne se traînant encore plus loin. Mais de rive opposée, pas l'ombre. Derrière les navires, insista Ambroise. Sur l'horizon. *Juste là.*

Zip renonça et retomba sur son transat, exaspérée. Elle connaissait l'histoire. *Les curieux talents d'Ambroise Zéphyr* ou *Comment voir ce qui est juste là.* Pour un auditeur désintéressé, rien ne la différenciait des élucubrations d'un enfant imaginatif. Pour Zip, c'était le genre d'histoire qu'un parent inquiet tient à glisser à sa nouvelle belle-fille, juste avant de rejoindre sa propre épouse sur le perron pour souhaiter au jeune couple un excellent voyage de noces à Deauville.

Dans l'histoire de M. Zéphyr, vers onze ou douze ans, pendant la balade en voiture que la famille s'offrait chaque année, Ambroise avait annoncé à ses parents qu'il possédait un don. Ils étaient en train de longer la côte cornouaillaise.

Moi, je vois mieux que n'importe quoi, déclara le jeune Ambroise.

N'importe *qui,* corrigea son père.

Mieux que les animaux.

C'est quelque chose, concéda sa mère.

Mieux que des jumelles.

Sans blague, rétorqua M. Zéphyr.

Sans blague.

Et comment ce don t'est-il venu ? voulut savoir Mme Zéphyr.

Ambroise haussa les épaules.

Je vois, soupira son père.

Ambroise s'illumina.

Juché au sommet de la dernière falaise d'Albion, en plissant les yeux comme le font les gamins, il distinguait l'Amérique. Une masse bleue, floue, juste sur l'horizon. Là, là, insista Ambroise, brandissant son index vers l'ouest. La silhouette des gratte-ciels de Manhattan émergeait de la brume océane. Ses parents s'excusèrent de ne pas très bien distinguer les détails. Ils mirent cela sur le compte de l'heure et de l'inclinaison du soleil.

Deux étés plus tard, alors qu'ils faisaient le tour du Nord de l'Europe, Ambroise demanda à sa mère d'arrêter la voiture juste avant chaque frontière. Est-ce qu'il pouvait faire les derniers mètres à pied, se tenir debout sur la démarcation ? Lors d'un arrêt de ce genre, se remémorait Mme Zéphyr, son fils avait posé le pied gauche en Belgique et le droit au Luxembourg. Ambroise avait pris le temps de suivre du regard la ligne (invisible aux Zéphyr père et mère) qui traversait la route.

C'est pendant le même voyage qu'Ambroise leur annonça également qu'il faisait la distinction entre le sol d'un pays et celui d'un autre, sans définir précisément où se situait la différence (pas plus que la perception nécessaire pour l'appréhender). Il y avait, estimait le jeune Ambroise, un petit… quelque chose. Le Danemark était… plus brun, indiqua-t-il à ses parents, perplexes.

L'air aussi. D'un pays à l'autre, Ambroise sentait changer l'odeur des choses. Plus fraîche ici, là plus rance. La France sentait les pommes, l'Allemagne le gazon fraîchement tondu, la Hollande les chaussettes mouillées. Ambroise proclama qu'il sentait la différence dès qu'il passait par-dessus une frontière. Entrant et sortant du Luxembourg à petits bonds, il leur fit la démonstration : les fleurs… les chiens… les fleurs… les chiens… les fleurs… les chiens.

Zip et ses nouveaux beaux-parents attendaient sur le quai que le jeune marié, parti chercher les billets de la traversée transmanche, vienne les rejoindre. M. Zéphyr poursuivit son histoire. Le don curieux et de plus en plus agaçant de son fils dépassait l'ici-maintenant. Il voyait dans le passé. Événements grandioses et historiques, visages célèbres et tragiques, batailles gagnées, batailles perdues. À l'en croire, plus cela datait, mieux c'était. En plissant les yeux juste de la bonne façon, lui avait expliqué l'enfant, il voyait ce qui s'était déroulé et qui avait marché sur le sol où il se tenait. Dix, cent ou mille ans auparavant.

Le jeune Ambroise était prêt à prouver ses dires, citant la fois où, en sortant du métro tout près de la Tour de Londres, il avait vu la tête du duc de Norfolk sur une pique, encore dégoulinante, comme si la reine vierge, de ses blanches mains, l'y avait plantée la veille. L'été où il avait aperçu Guillaume le Conquérant pataugeant sombrement parmi les plaisanciers à la plage de Hastings. Ou le groupe de druides qu'il avait observés, à Stonehenge, tandis que M. et Mme Zéphyr lisaient les brochures touristiques. De simples ouvriers, leur expliqua Ambroise. Occupés à équarrir quelques dolmens.

L'histoire prit fin lorsque M. Zéphyr évoqua l'après-midi enchanteur qu'il avait passé à pique-niquer avec sa femme au milieu d'un champ flamand désert et plat, avec pour spectacle leur fils perdu dans la contemplation du vide. Il est resté figé, lui confia M. Zéphyr. Pendant des heures. Je suis convaincu, fit-il avec un clin d'œil, que mon fils avait de la boue jusqu'aux genoux. Ah, voici votre train.

Ambroise Zéphyr déclara forfait à son tour. Moi non plus je ne la vois pas, on dirait, avoua-t-il. Il se renversa dans sa chaise longue, passa un instant à observer le lent passage d'un groupe de nuages et décrivit à sa femme le souvenir qu'il avait gardé.

Les satanées files d'attente. Pour les tentes, les chaises, les glaces, les serviettes, les toilettes. Étirées tout le long de la plage. On se changeait dans la chambre. Je nous revois traverser le hall au pas de course, à moitié nus. On mettait des heures à trouver un peu de sable où poser notre serviette. Avec des sales cabots et des cris d'enfants de tous les côtés. Les tentes n'étaient pas de la même couleur, cette année-là. Est-ce qu'elles étaient vertes ? Je me souviens qu'il faisait trop froid pour se baigner. La Manche était agitée. Premier week-end de la saison. Gros vent. Même les bateaux des gens du coin ne sortaient pas. Toi, tu détestais le sable. Inutile de nier. Tu insistais pour porter d'horribles baskets bleues. De la tête aux chevilles, tu étais ravissante. Un bikini d'enfer, rouge, je crois bien. Bon, noir. J'ai bu trop de calvados. Tu as lu trois livres et tu m'as raconté ce que mon père t'avait dit sur le quai. Tu m'as demandé – avec cette voix que tu as – si je voyais des soldats sur la plage. J'ai dit *très drôle,* et puis je t'ai expliqué qu'ils avaient débarqué plus loin sur la côte. Ça t'a fait rire.

La voix d'Ambroise Zéphyr s'estompa. Un instant plus tard, un spasme l'éveilla.

Fatigué, souffla-t-il avant de repartir.

Quand elle eut la certitude que son mari dormait profondément, Zip alla se promener le long de la Corniche. Elle fit l'achat d'une carte postale, une aquarelle maladroite qui datait un peu. On y voyait des tentes vertes, et à en juger d'après la foule et les files d'attente qu'elle illustrait, la saison commençait tout juste.

Elle revint sur ses pas en longeant la mer. La fillette aux bottes bleues avait réussi à faire sortir son chien de l'eau. Zip les regarda s'en aller, puis tourna les yeux vers le large.

L'Angleterre était là. Posée sur l'horizon.

E

Les côtes battues par les vents de... lut Zip de la voix qu'elle réservait à certaines circonstances. Le train filait vers Paris où les attendait un avion pour Pise, puis un arrêt à...

Elbe, dit Ambroise. L'île d'Elbe.

Une idée comme ça, répondit Zip. Si on restait à Paris ? Sortir un petit peu des aéroports.

Napoléon n'aimait pas particulièrement cet endroit.

On pourrait prendre l'avion suivant.

Mais la vue est spectaculaire.

Elle sera toujours là.

On repasse par Paris dans quelques jours, lui fit remarquer Ambroise. Et on va tout le temps à Paris. Tu n'en as pas assez ?

Assez ? Oui. De Paris ? Non.

Bon, alors que dirais-tu de : *E comme la tour Eiffel, qui se dresse à Paris.*

Zip fit semblant de froncer les sourcils. Cela ne sonne pas aussi bien que *les côtes battues par les vents,* minauda-t-elle, mais si tu veux bien.

Sortir un petit peu des aéroports.

Comme tu veux.

Ambroise n'avait jamais pu résister à ce ton-là. Ni même vraiment essayé.

Zip ouvrit les yeux dans une chambre sans prétention, sous les combles d'un hôtel – leur hôtel – niché dans un coin de la place Saint-Sulpice. Une bande de soleil s'était frayé un chemin entre les tours dissemblables de l'église qui dominait la place, s'était faufilée par la fenêtre et allongée jusqu'au lit. Elle vint se poser sur le visage de Zip, qui battit en retraite sous l'édredon, où tout était doux et chaud.

Qu'on est bien chez soi, se dit-elle. Encore cinq minutes. Puis elle se rappela où elle était. Où était Ambroise. Parti se promener.

Qu'il s'en souvienne ou non, là n'était pas la question. Le fait était qu'ils s'étaient bien rencontrés rue des Rosiers et que c'était bel et bien la première fois.

Une version plus jeune d'Ambroise Zéphyr se trouve à mi-parcours de sa promenade matinale. Au cœur du Marais, une averse printanière le force à se réfugier dans l'entrée d'une librairie ancienne. Recroquevillé dans son imperméable qui dégouline sur ses chaussures, il scrute le ciel en attendant une éclaircie. Il ne voit pas la jeune femme qui franchit le seuil derrière lui.

Une Zip Ashkenazi plus jeune – profitant d'une pause au milieu d'une séance de photo de mode – vient d'acheter un recueil *gastronomique** dont la publication remonte à plusieurs années. Le bouquin est dans un état médiocre, mais elle sait marchander. Cela me fera un bon souvenir, se dit-elle, de mon premier voyage à Paris. Elle glisse le petit volume dans la poche de son manteau et ouvre la porte de la boutique.

Zip ne voit pas le visage du jeune homme. La clochette qui surmonte l'embrasure grelotte. Ambroise s'inquiète tellement pour ses souliers qu'il ne l'entend pas.

Dans son français le plus poli, Zip demande pardon au dos du jeune homme. Une version interloquée d'Ambroise fait volte-face et dévisage la jeune femme. Zip attend un peu, puis elle commence à ouvrir son parapluie. Ambroise la dévisage toujours, inconscient de la pluie, de ses chaussures, du parapluie.

Il pleut toujours.

Zip en a marre de se faire dévisager.

Au bout d'un instant, elle détourne son regard pour examiner les pieds du jeune homme. Ambroise se souvient brusquement de ses bonnes manières. Il descend du trottoir, laisse passer la jeune femme, lui présente ses excuses dans son anglais le plus poli. Il aurait bien enlevé son chapeau s'il en avait eu un.

Il pleut à verse et Ambroise reste planté là, à regarder la jeune femme disparaître sous son parapluie. Zip fait un petit bond pour éviter une flaque, se retourne, aperçoit le jeune homme et détourne les yeux.

Il sourit, car il l'a prise en flagrant délit. Elle disparaît derrière un coin de rue, riant sous cape à l'idée des chaussures abîmées du jeune Anglais, de ses cheveux trempés. Un chapeau, se dit-elle, voilà ce qui manquait, pour aller avec l'imperméable et l'averse.

Il y avait quelque chose de changé. L'atmosphère avait un drôle d'air. Le soleil qui entrait par la fenêtre la fit frissonner. Zip se dit que ce n'était rien, qu'elle avait trop dormi, que ça allait passer. Elle jeta un coup d'œil au réveille-matin, tituba jusqu'à la salle de bains, fit couler l'eau dans la baignoire. À l'heure qu'il était, son mari devait se trouver à Notre-Dame, précisément sur le point zéro des routes de France.

Sa *flânerie**, comme l'appelait Ambroise. Une habitude ancrée dont l'itinéraire ou la durée ne variaient que rarement. Ses amis, quant à eux, l'appelaient son cliché, évoquaient les chemins battus, suggéraient d'autres sites, d'autres sons. Ambroise hochait poliment la tête et allait où il voulait. Ils ont leur Paris, disait-il à Zip. J'ai le mien.

Zip insinua sa chair de poule dans l'eau fumante, envoyant ses orteils gigoter à l'autre bout de la baignoire. Elle ferma les yeux, laissant la chaleur pénétrer ses os vague après vague, soulageant la terreur brute qui s'y logeait. Elle avait beau essayer d'imaginer autre chose, elle ne voyait que leurs moments ensemble. Leur Paris…

La petite rue qui faisait le coin avec le boulevard Saint-Germain, sa boulangerie familiale, les deux tables de son café, ses étals de fruits et légumes. C'était toujours là qu'ils trouvaient leur bon gros casse-croûte du midi, arrosé d'une bouteille de *vin de pays**. Là qu'Ambroise fumait en cachette une cigarette puante pendant qu'elle choisissait un pâté.

Le rond-point de la Bastille. Où il ne manquait pas de plisser les yeux et de lui indiquer les paysans qui assiégeaient la prison. Où elle avait maîtrisé l'art de traverser gracieusement sur des talons hauts la circulation chaotique.

Les épaules de Zip se soulevèrent, elle faillit suffoquer, lutta pour retrouver son calme. La vue de son corps, à elle, lui fit penser à ses mains, à lui.

Place des Vosges. Ses mains sur elle, dans l'obscurité, sous la fenêtre de Victor Hugo. Ses mains sur lui. Lèvres haletantes, langues muettes. Deux forcenés. Sous les platanes, au milieu de la nuit.

Elle enfouit son visage dans ses mains. *Tu ne l'auras pas,* hurla-t-elle entre ses doigts.

La librairie ancienne. Bientôt, elle appartiendrait à d'autres amants égoïstes qui la revendiqueraient pour la faire figurer dans *leur* Paris.

Les bouquinistes du Pont-Neuf. C'est là qu'il devait être.

Zip s'extirpa de l'eau, s'habilla à la hâte et s'enfuit à toutes jambes.

C'est là qu'il devait être en ce moment.

Zip courait le long du quai en direction du Pont-Neuf, un œil sur sa montre. Elle était en retard. Mais elle souriait. Elle savait où le trouver, ce n'était pas loin, elle pouvait ralentir.

L'étalage d'un bouquiniste attira son regard. Il était garni de tout le bric-à-brac des métiers de l'imprimerie : règles d'agate, pinces à relier, tiroirs de typographe. Une collection de vieux caractères d'imprimerie.

Elle prit plaisir à sentir dans sa main la douceur d'un petit cube de bois particulièrement usé.

Zip trouva Ambroise sur la pointe aval de l'Île de la Cité, allongé de tout son long sur le remblai pavé qui descend doucement vers la Seine. Fidèle à son habitude, il admirait la vue le long du fleuve, jusqu'à la tour Eiffel qui sortait la tête par-dessus les toits, au loin. Zip s'assit près de lui.

Tu sens la cigarette, lui dit-elle. Comment s'est passée ta promenade ?

Ambroise mentit. Formidable, répondit-il. Zip remarqua le lent tremblement de ses mains, les légers mouvements de flexion et d'extension de ses doigts.

Tu t'es bien reposée? lui demanda-t-il. Tu te sens mieux?

Zip mentit.

Comme font les amants qui visitent Paris, ils passèrent le reste de la journée sur l'île, au milieu de la Seine. Ils se régalèrent d'un bon gros casse-croûte, burent tout le vin, saluèrent de la main les bateaux-mouches.

Ambroise posa la tête sur les genoux de sa femme et contempla le ciel à travers les arbres. Je pense qu'il va pleuvoir, dit-il. Zip éclata de rire.

Avoue, répondit-elle. C'était toi, l'homme aux chaussures mouillées. Ambroise se contenta de sourire.

Le reste de la journée s'écoula tranquillement. Sans un nuage.

Je t'ai acheté quelque chose, annonça Zip. Pour te consoler d'avoir manqué l'île d'Elbe.

Ils roulaient vers l'aéroport en taxi. Elle posa le petit bloc de bois dans sa paume et referma dessus ses doigts raides. Ne triche pas, souffla-t-elle.

Il reconnut le caractère au toucher. Une majuscule. Un caractère gras sans sérif utilisé pour les gros titres. Il sentit le zigzag de la lettre, ses coins aigus. La surface lisse du bloc, ses arêtes arrondies par l'usure. Pour un si petit objet, il a l'air si gros, si lourd, s'étonna-t-il.

Moi aussi je t'ai acheté quelque chose. Ambroise lui tendit un gros exemplaire esquinté des *Misérables*.

Zip regarda par la lunette arrière du taxi. Toute petite, toute lointaine, une tour parisienne se dressa une derrière fois sur l'horizon avant de disparaître. Le taxi s'engagea sur le périphérique.

L'après-midi s'étirait sur la Piazza della Signoria. Musclé, bigleux, grand pour son âge, David restait de marbre devant les badauds agglutinés à ses pieds. Certains, munis d'un appareil photo, se distanciaient de la horde à pas soigneusement mesurés, essayant de faire tenir dans le viseur à la fois l'enfant-roi et les grimaces de leurs compagnons de voyage.

À l'autre bout de la place, dans un coin tranquille d'un café, Ambroise Zéphyr commandait du vin. Deux verres. *Rapido,* fit-il d'un ton brusque qui surprit Zip. Elle lança à son mari un regard qu'il choisit d'ignorer.

Ils se rencognèrent dans leurs chaises. Ce n'était pas du tout la journée qu'avait anticipée Ambroise. Il y avait trop, beaucoup trop de tout.

Plus tard, les gens qui connaissaient Ambroise s'entendirent pour affirmer que son F ne les avait pas étonnés. Après tout, ne manquèrent-ils pas de souligner, sa mère ne l'avait-elle pas introduit – si jeune – à l'art florentin ? Ne se vantait-il pas – n'était-ce pas agaçant? – de la session universitaire qu'il avait passée à flâner dans la ville en draguant les filles? Ne connaissait-il pas sur le bout des doigts ses architectes, ses Médicis, ses grands maîtres? Par ordre de nom et de date, soupiraient-ils.

Un vieux monsieur passa devant leur table. C'était le portrait type de l'Italien chic et décontracté : cravate, souliers vernis, boutons de manchette, lunettes de soleil pratiques. Il se servait d'une canne avec laquelle il tapotait légèrement les pavés en marchant.

La pointe manqua de près la table de Zip et Ambroise, ce qui provoqua une collision mineure ; le monsieur trébucha, une ou deux gouttes de vin furent renversées. L'Italien s'excusa en cherchant de la main le rebord de la table. Ambroise jura entre ses dents.

Cette fois-ci, Zip mit plus d'écœurement et moins de surprise dans le regard outré qu'elle lui lança. Ambroise se rencogna encore plus dans sa chaise, jetant des regards mauvais à la foule qui encombrait la piazza.

Il n'y a pas de mal, assura Zip au monsieur italien. Ce dernier pivota de tout son corps en direction de sa voix et lui sourit.

Zip dénicha une troisième chaise. Le vieux monsieur leur demanda s'il pouvait se reposer un peu. Rien qu'un instant… pour mes articulations, vous comprenez.

Vous sentez comme ma femme, s'exclama-t-il. Zip rougit brusquement, ce qui suffit à la faire rougir encore plus.

Quand nous allions nous promener. Le soir, le long du fleuve, elle portait le même parfum. Elle était très sage, très intelligente, ma femme. Je ne sais qu'une chose, me disait-elle : un homme peut remarquer cent femmes, en désirer mille autres, mais c'est une odeur qui lui ouvrira les yeux et le cœur. Et jamais il ne remerciera assez les anges de lui avoir fait moucher son nez ce matin-là.

Au pied de l'enfant-roi de marbre, les touristes faisaient un tapage croissant.

Ah, les multitudes, soupira le monsieur italien. Toutes ces photos. Quelle tristesse. Venir de si loin pour prendre de mauvais clichés de ses amis.

Il haussa les épaules. Cette ville est trop intense pour eux. Trop de tableaux, trop d'églises, trop de David. Trop de gens qui prennent des photos. Est-ce que tu vois le Duomo ? demande l'un. Je ne vois que l'arrière de ton crâne, répond l'autre.

Mais assez, lança-t-il à l'intention d'Ambroise. La vie est trop brève pour se lamenter ainsi. Il y a bien d'autres choses à voir.

Ambroise faisait la tête.

Le vieux monsieur chercha la main de Zip. Passez-moi un caprice : jouons un peu, lui dit-il. Il lui prit la main, l'enveloppa dans les siennes.

La blouse de la signora, annonça-t-il au bout d'un moment, est plus blanche que notre marbre. Impeccable, bien coupée, comme une chemise d'homme. Les poignets sont retroussés, le col… remonté. Très désinvolte. Les boutons ouverts juste ce qu'il faut, avec… pardonnez-moi, signora – peut-être un soupçon de dentelle noire, un coup d'œil coquin sur quelque chose.

Ambroise esquissa un sourire. Le monsieur poursuivit.

Elle porte un foulard de soie… dans les rouge et or, je dirais. Une jupe ample, mi-longue. Rouge encore, comme les cardinaux d'*Il Papa*. Mais l'après-midi touche à sa fin : elle a remonté ses lunettes noires sur le haut du crâne. Une mèche de cheveux tombe le long de son visage. Elle plisse les paupières dans le soleil couchant. Au coin de ses yeux, des pattes d'oiseaux. Est-ce que j'ai oublié quelque chose ?

Les chaussures de la signora, suggéra Ambroise.

Aaaah, se réjouit le monsieur italien, vous voilà. Vous aussi, vous voulez jouer à mon jeu. Très bien.

Ils sont… noirs. Oui. Et plats. En prévision de toute cette agitation. Ce trop de gens. Cet excès d'art. Mais j'extrapole. Disons plutôt… ce qu'il faut pour se promener le long du fleuve ?

Ambroise regarda sa femme. Zip remarqua que ses yeux s'éclairaient pour la première fois de la journée.

On commanda un troisième verre et l'on but à tous les grands rois de marbre. Ambroise s'excusa de sa mauvaise humeur. Ce n'est pas la meilleure journée de ma vie, remarqua-t-il. Il n'y a pas de mal, assura le monsieur italien. Ambroise lui posa des questions sur sa femme.

Le vieux monsieur sortit une petite photo qu'il lui tendit. J'en ai beaucoup, leur confia-t-il. Elles ne sont jamais là où je crois les avoir laissées.

Ambroise sourit. Il fit passer la photo à Zip, qui s'attendait à voir la vieille icône fanée d'une jolie jeune femme. Au contraire, c'était un pâle visage las et empâté qui souriait dignement dans le cliché. Mais les yeux étaient clairs et les cheveux coiffés avec style. Lâchement noué, un foulard qui avait dû coûter une fortune enveloppait le cou de la dame.

Le visage était dessiné en relief sur le rectangle de papier. Le foulard, les cheveux, les yeux étaient tracés en crêtes et en sillons. Le sourire pudique.

Je crois qu'elle était un peu comme votre signora, reprit le monsieur italien. Un régal pour les yeux?

Oui, elle l'était, opina Ambroise. Elle l'est.

Le monsieur italien termina son vin et se remit debout du mieux qu'il put. Il baisa la main de Zip en s'excusant de les quitter si soudainement.

J'ai promis de retrouver quelqu'un au bord du fleuve, souffla-t-il. Sa canne tapota le sol de la piazza. En passant devant l'enfant-roi de marbre, il sortit élégamment son mouchoir de sa poche et se moucha sans bruit.

La Méditerranée défilait loin en dessous d'eux. Zip Ashkenazi poussa son mari du coude. Tu as parlé, l'informa-t-elle.

Désolé… je somnolais… quoi? Qu'est-ce que j'ai dit?

Tu n'arrêtais pas de demander pourquoi.

Pourquoi quoi?

Je n'en sais rien. Tu dormais.

Tu as dû rêver.

À…

À une femme, au loin, qui s'approche. Elle traverse à pied, insouciante, les sables du désert.

Elle se retourne, contemple le soleil. Pieds nus, elle tient ses sandales d'une seule main par leurs talons rassemblés. L'autre main retient l'ourlet de sa robe de coton blanc. Chaque pas qu'elle fait soulève un mince filet de sable que le vent chaud emporte et souffle vers le Nil. Le soleil peint sa silhouette sur l'écran de coton, allume sur ses bracelets des gerbes d'ébène et d'argent. La marche dans le désert empourpre sa peau dorée. Elle a les cheveux noirs, fins.

Un chameau sorti de nulle part bloque soudain la vue. Dans un tourbillon, tout se résorbe dans l'illustration d'un paquet de cigarettes.

Un jeune garçon allongé sur le plancher de sa chambre. Il a douze, peut-être treize ans. Il reproduit avec une minutieuse précision l'illustration qui orne un paquet de Camel. Les courbes tarabiscotées des sérifs du A. L'ellipse du E. Trois palmiers, deux pyramides, un chameau aux jambes maigres. L'enfant fait rentrer les pyramides sous le ventre flasque du chameau. Il s'applique à remplir de bleu vif le seul œil visible de l'animal. Il dessine même l'esperluette délicate entre les mots Turkish et Domestic.

Le chameau tourne la tête, sourit de toutes ses dents.

Qu'est-ce que t'as, m'sieur Zéphyr? T'es triste?

L'enfant se renfrogne.

La mort? Oui, oui. Tous, la mort nous guette. Et c'est triste que cela nous fasse de la peine. Mais je connais une histoire.

Il était une fois un chameau qui avait vu le jour à l'ombre d'un palmier, au bord d'un oued sans nom, quelque part à l'est d'ici. Dans le Sinaï.

Dix ans plus tard, il est devenu un routier chevronné; d'Alexandrie à Tripoli, les routes commerciales n'ont plus de secrets pour lui. À vingt ans, il travaille sur le circuit lucratif d'Assouan; il faut voir la politesse avec laquelle il s'agenouille pour laisser monter les Japonaises inquiètes qui se font photographier sur son dos. À trente ans, les genoux usés jusqu'à l'os, il prend sa retraite. À quarante, il termine paisiblement ses jours de chameau. Emportant une dernière image des jeunes chamelles du marché de Birqash.

Étripé puis dépouillé, il nourrit pendant sept jours son maître et sa famille, ses cousins, ses voisins.

Sa peau est vendue un bon prix au bazar, à un fabricant de meubles qui sait combien de postérieurs rêvent de s'asseoir sur un cuir d'aussi bonne qualité.

Existait-il déjà avant cette vie de chameau? me demandes-tu. Oui, oui, m'sieur Zéphyr. Le chameau était un homme. Comme tu le seras. Prospère, bien nourri, aimé d'une femme honnête, belle, intelligente. Ils vécurent heureux. Tout simplement, comme mari et femme. Sans extravagance. Tout près de la grand-route qui relie Suez à Aqaba.

Chaque jour, l'homme regrette sa femme. Même aujourd'hui, même devenu chameau dans ton dessin ou siège confortable, écrasé par une large croupe. Mais tous les jours il la voit. Tous les jours il la regarde dormir.

Tu veux savoir pourquoi? Il n'y a pas de pourquoi, m'sieur Zéphyr. Ce n'est qu'une histoire. La vie continue. La mort continue. L'amour continue. C'est simple. Simple comme tout. Dans bien des années, même toi, tu reviendras. Peut-être en couleur ocre, dans laquelle un peintre trempera son pinceau. Ou comme un gentil chat errant dans un petit parc de Londres. Que tu aimeras les oiseaux que tu pourchasseras!

Alors le chameau m'a fait un clin d'œil, conclut Ambroise, et il a disparu dans un nuage de sable.

D'un battement de paupières, Zip retint une larme. Il n'avait pas voulu la faire pleurer.

La petite femme bédouine était assise sur ses talons, à l'ombre des pyramides.

Ses voiles noirs ondulaient dans le vent. Elle fumait une cigarette brune et jouait avec un petit appareil Polaroïd qu'elle braquait sur le soleil, dessinant des cercles devant son visage, faisant semblant de se prendre en photo, d'attendre que le cliché humide émerge de la fente. Tout cela accompagné de roucoulements, de gazouillis, de bribes de chansons. Comme une petite fille dont le sourire dénudait les dents ébréchées.

Elle restait à sa place, à l'écart de la meute racoleuse vendant qui de l'eau du Nil aux propriétés curatives, qui des crocodiles empaillés, qui des scarabées de plastique. Les touristes défilaient en accéléré, comptant leurs dollars, leurs livres, leurs yens et l'évitant soigneusement.

Zip la remarqua tandis qu'Ambroise était occupé ailleurs. Il s'était approché de la pierre angulaire par le côté ombragé et se penchait pour apercevoir l'arête de la grande pyramide de Khufu. De ses yeux réduits à de fines lézardes, il appréciait l'angle du coin, la texture lississime du revêtement, la minuscule armée de travailleurs nus et en sueur qui posaient les dernières couches au plus près du ciel.

Zip laissa son mari et se fraya un chemin à travers le troupeau pour s'en extraire. Elle aperçut un coin retiré, s'assit à même le sable chaud et se mit à observer la bédouine. Elle aurait bien aimé savoir ce qu'il y avait sur ses photos.

La femme interrompit ses jeux et fit signe à Zip. *Come come,* dit-elle. *Sit sit.* N'aie pas peur.

Ambroise appuya sa joue contre la pierre. Il passa ses mains sur la surface rêche, suivant ici un sillon, palpant là une arête usée, grattant ailleurs une encoche ensablée. Il cherchait la ligne droite.

Chut chut, dit la femme.

Vous chantez si bien, dit Zip.

Et toi, tu as peur.

Zip sentit son cœur battre dans ses oreilles. Ses mains se glacer.

Il faut que j'y aille, balbutia-t-elle. Mon mari…

Je sais ce que tu vois, prononça la vieille femme. Et de quoi tu as peur. Mais ce que tu vois, il ne faut pas le craindre.

Les yeux de Zip débordèrent.

Tout va bien aller, assura la femme. Pour toi. Pour ton mari.

Zip essuya son visage et se força à sourire.

La pancarte avertissait les visiteurs : IL EST ABSOLUMENT DÉFENDU D'ESCALADER OU DE DÉGRADER DE QUELQUE MANIÈRE QUE CE SOIT LES TOMBES SACRÉES AFIN DE PROTÉGER LEUR ÉTAT FRAGILE ET HISTORIQUE.

Comme on pouvait s'y attendre, Ambroise Zéphyr n'était pas de cet avis. Rien d'aussi énorme, d'aussi immortel, ne pouvait être aussi périssable.

Ni aussi tentant.

Oui oui. Tiens-lui bien la main. Il ne sera pas parti bien longtemps. Pas longtemps.

Tout en parlant, la bédouine tourna la tête pour observer un homme qui luttait pour escalader la pyramide.

Zip suivit son regard : perché sur la pierre angulaire du premier étage, elle aperçut son mari, son Ambroise. Plié en deux, soutenu par ses bras arc-boutés sur ses genoux, il crachait ses poumons en sifflant.

C'est un instantané d'amateur : l'horizon tangue follement, le sujet indistinct sort à moitié du cadre, un doigt flou obscurcit l'un des coins. La photo montre un homme juché sur un grand bloc de pierre, raide, gêné, mais rayonnant et posant de son mieux. Une sorte de Lawrence d'Arabie juvénile et gauche qui viendrait de réussir un bon coup.

Son visage pâle luit dans la lumière rose. Il porte un costume chiffonné de lin usé, devenu trop grand. En contrebas se tient timidement une femme réservée. Dorée sous la rougeur de son visage, elle semble perdue.

Quelque part entre le plateau de Gizeh et Le Caire, le taxi manqua d'essence. L'autobus qui le remplaça suivait à pas de tortue la circulation dense du centre-ville. Il n'y avait ni sièges ni poignées mais un bruit qui ressemblait à celui que font les freins quand il n'y en a plus. Lorsqu'Ambroise Zéphyr et son épouse parvinrent à l'aéroport, une brusque tempête de sable venait de fermer les pistes de façon temporaire il est vrai, mais très efficace.

Adieu correspondance, adieu Haïfa.

Si les gens qui faisaient la queue à l'aéroport s'étaient donné la peine de regarder autour d'eux, ils auraient remarqué que le monsieur anglais ne se sentait pas bien.

Ambroise Zéphyr avait le visage blême. Il puait la sueur, la saleté, le rance. Grelottant dans ce four qu'était l'aéroport, il ne se levait qu'en grinçant et ne cessait de s'étirer les mains, de se les plier, de se les tordre, de se les frotter aux jointures. Toutes les deux minutes, ses yeux cherchaient à sortir de leurs orbites obscures. On l'aurait cru terrorisé par quelque chose qu'il aurait entendu ou senti, mais sans le voir.

Il rabroua sa femme qui lui demandait pour la énième fois si elle pouvait faire quelque chose.

Je vais très bien, croassa-t-il.

Tu n'as besoin de rien? se força à articuler Zip entre ses dents.

J'ai besoin qu'on me fiche la paix.

Elle n'avait qu'une envie : lui jeter quelque chose à la tête.

Ça suffit, déclara-t-il.

Le frapper.

Laisse-moi tranquille, insista-t-il.

L'arrêter net. Tout arrêter. Rentrer.

Ambroise reprit du poil de la bête lorsque la file s'ébranla. On annonçait l'embarquement pour Istanbul.

Ils étaient assis dans la dernière rangée: Ambroise, Zip et un énorme jeune homme qui leur raconta qu'il prenait l'avion pour aller voir sa sœur, une très gentille danseuse qui travaille dans un hôtel avec vue sur le Bosphore pour mettre de l'argent de côté en vue de faire l'école d'hôtellerie dans le but de reprendre la taverna familiale dans notre ville natale, charmé de faire votre connaissance un couple anglais très sympathique en vacances je présume, j'étudie beaucoup mon anglais, il faut absolument que vous veniez dans notre taverna un jour, vous formez un couple si charmant sauf que monsieur vous n'avez pas l'air très bien c'est sans doute le mal de l'air ou auriez-vous senti une mauvaise odeur? Où en étais-je, ah oui ma sœur qui fait la danse du ventre va nous aider moi et mon père qui se sent très seul depuis que notre mère est partie rejoindre sa sœur qui est ma tante et qui élève beaucoup de chèvres et qui fait leur fromage, le meilleur de toute la Méditerranée oui alors sur la carte, voyez ici c'est l'hôtel où la vue est très belle et où ma sœur danse, vous viendrez quand vous vous sentirez mieux vous savez, un hammam vous ferait sûrement du bien oui monsieur un bain turc, très bon contre tous les maux même pour ramener les morts à la vie, pour madame aussi je le recommande bien fort mais s'il vous plaît n'oubliez pas l'hôtel où danse ma sœur avec vue sur le Bosphore, si vous avez l'occasion, elle danse vraiment très bien ma sœur bon elle a peut-être les hanches un peu larges, peut-être quelques kilos en trop mais qui n'en a pas ha ha, ah je crois qu'on arrive voilà on atterrit, très sympathique couple anglais passez une bonne journée c'était un plaisir de faire ce vol avec vous, n'oubliez pas de rendre visite à la taverna de ma famille un de ces jours, le meilleur café de toute la Méditerranée vraiment bien meilleur qu'à Istanbul, on se croisera peut-être encore n'oubliez pas le bain turc cela vous fera beaucoup de bien, près de la Mosquée bleue très ancien très sérieux je le connais bien, pardon attendez je vais me glisser de ce côté pour vous laisser passer, toutes mes excuses oui c'est un peu petit ici, je suis peut-être un peu gros pour prendre un si petit avion haha, attendez je vais passer ma… oh ! pardon si vous mettiez votre jambe comme ceci voilà, pardon encore un petit peu peut-être si je retenais mon souffle ?

En se dirigeant vers la file des taxis, Ambroise confia à Zip qu'il avait déjà rêvé la vue vers l'autre rive du Bosphore. Ou alors il l'avait vue au cinéma. Il n'arrivait pas à trancher.

Peut-être, proposa Zip, qu'un bon bain turc te rafraîchira les idées. Ou l'odeur, au moins.

Comme bien des garçons de treize ou quatorze ans, c'est d'une femme qu'Ambroise Zéphyr avait reçu sa première leçon concernant les intrigues du Proche-Orient et de la sexualité.

Il ne s'agissait pas du tout de Polly, ou Penny, ou Patsy, comment s'appelait-elle déjà, qui vivait à quelques portes de chez lui. Prunella, ou Poppy, ou Priscilla, enfin, la maigrichonne. La petite planche à pain affublée d'un appareil dentaire sur lequel il s'était tranché la lèvre en lui volant un baiser dans le jardin de ses parents.

Non. La femme en question se trouvait dans le mauvais camp, mais ne demandait qu'à travailler pour les bons, n'hésitant pas une seconde à user pour cela de sa nudité sous des draps collants. Elle était née dans les steppes de Russie, savait manier la carabine et les dispositifs de codage, avait de beaux seins, les cheveux blonds et une suite de luxe avec vue sur le Bosphore.

Elle s'appelait Tatiana, évoqua Ambroise en descendant du taxi avec Zip devant le plus vieux bain public de la ville.

Bien sûr, susurra celle-ci.

Et alors James Bond vient la rejoindre dans sa chambre d'hôtel.

La chambre avec vue ?

Oui. Elle n'a rien sur le dos, qu'un ruban de soie autour du cou. Nue comme la main devant l'homme en smoking. Imagine.

Imagine.

Zip imagine un garçon de treize ou quatorze ans, bien élevé, curieux, assis tout seul dans une salle obscure. Une matinée sans doute, près de Piccadilly Circus. Les yeux écarquillés pour mieux embrasser les splendeurs d'Istanbul.

Zip sortit du bain par la porte des femmes et retrouva son mari occupé à faire disparaître les rides et l'odeur de son costume. Souriant sous ses cheveux tout aplatis sur son visage rubicond et rasé de près. Un enfant tout juste sorti de son bain du dimanche. Il remarqua l'expression irritée de Zip, son visage épuisé, envahi par la colère.

Comment s'est passé ton bain ? s'enquit Ambroise.

Une horreur, décréta Zip.

La fille de salle était grande ?

Une amazone.

La serviette petite ?

Une humiliation.

Et la vapeur ?

Une minute.

Et l'éponge végétale?

Tu vas devoir y faire face.

Le massage?

Là n'est pas la question.

L'huile? Les liniments? Les feuilles de palmier?

C'EST PAS DE ÇA QUE JE TE PARLE.

Zip fixe son mari d'un œil incrédule. Ils sont toujours debout devant la Vénus de Vélasquez.

Bien sûr, c'est de ça qu'il est question. Mais pas que de ça.

Excuse-moi, soupira Ambroise.

Arrête de t'excuser.

Désolé.

La question, c'est pourquoi tu ne dis jamais rien. Je n'ai pas le moindre indice de ce que tu penses au sujet de quoi que ce soit d'important.

Excuse-moi.

Arrête. Merde. Arrête de te… de t'absenter tout le temps.

Ambroise haussa les épaules.

Rien ne compte vraiment pour toi, alors? Tu n'as d'opinion personnelle sur rien? Rien d'autre que *c'est formidable*?

Très bien, dit Ambroise. Si tu veux vraiment le savoir. Je trouve ce Vélasquez remarquable et je me fous de savoir si la fille était actrice ou si les draps étaient noirs. Je trouve que l'expressionnisme abstrait, c'est de la merde. Les choux de Bruxelles, je trouve ça dégueulasse. Je crois que je pourrais peindre, mais je n'en ai pas le courage. J'estime que j'ai une chance fabuleuse d'être marié avec une femme qui, je trouve, ressemble un peu à la *Vénus au miroir*; et je crois que si j'ouvre la bouche pour me prononcer sur quoi que ce soit d'important, elle va s'apercevoir qu'elle a épousé un imbécile.

Tu es bien des choses, mon amour. Mais tu n'es pas un imbécile. Tu te fais des idées.

Je garde mes opinions pour moi. Ce n'est pas parce que j'en ai une que je dois la partager avec tout le monde.

Avec tout le monde, non, mais avec moi, oui. Comme ça, moi, je vais savoir ce que tu penses. *Moi,* je vais te connaître mieux que n'importe qui.

Mais tu me connais déjà de cette façon. Ç'a toujours été et ça sera toujours comme ça, point à la ligne. Laisse tomber.

Encore une chose.

Quoi?

Tu te trompes.

Ah oui?

La chance n'a rien à voir avec nous deux.

Devant la sortie du bain, le sourire astiqué d'Ambroise se dissipa. MAIS DE QUOI parles-tu, alors? rétorqua-t-il en lissant un autre pli de son costume. Faire face à quoi? Mais que voudrais-tu que je fasse?

Arrête de faire comme si de rien n'était. Inquiète-toi un peu. Dis QUELQUE CHOSE. Tu n'as pas peur?

Bien sûr que si.

Mais alors?

Alors quoi? Les choses sont là. Moi je suis là. Et en face de moi, il n'y a rien. S'il y avait quoi que ce soit, j'y ferais face. Mais il n'y a rien et ça me donne des sueurs froides et ce n'est pas à toi que c'est en train d'arriver.

Sale cachottier. Sale égoïste de merde. Bien sûr que ça m'arrive à moi!

Vraiment? Dans moins d'un mois, tu seras toujours en vie.

Vraiment? Si tu savais comme j'ai hâte. Faire la grasse matinée le dimanche? Finalement! Boire un thé digne de ce nom? Excellente idée! Plus d'yeux plissés, plus de visions, plus d'imaginations, plus de silences? Putain, mais j'en rêve jour et nuit!

Aux abords de la Mosquée bleue, dans une ruelle qui faisait le coin avec le plus vieux bain public de la ville, un piéton curieux aurait pu remarquer un Anglais tout chiffonné retenant dans ses bras une femme en sanglots, comme si elle risquait de s'envoler en morceaux. Elle luttait pour se dégager, il resserrait son étreinte. Il murmurait à son oreille, elle se débattait. Il posait des baisers sur ses yeux inondés, elle détournait son visage.

Quelques instants plus tard, la femme annonça qu'elle allait mieux. L'Anglais lui tendit une de ces petites babioles de verre bleu que les Turcs nomment *nazar boncuk* et lui expliqua que les mères les épinglent aux vêtements de leur bébé. Pour les protéger.

Le curieux aurait pu regarder encore un moment, puis il aurait passé son chemin et oublié l'incident.

Ce soir-là, Zip et Ambroise se trouvèrent un banc dans un coin des jardins du palais de Topkapi, autrefois habité par de terribles sultans. Ambroise prétendit que les sultans pourvoyaient aux besoins de leur harem dans ces mêmes jardins. Juste après le bain, précisa-t-il. Zip rétorqua qu'il fallait bien être un homme pour penser à des choses pareilles.

Dans le jardin du sultan, Zip et Ambroise volèrent autant d'amour qu'ils l'osèrent. Il y eut plusieurs boutons défaits. Des bretelles doucement écartées. Le glissement d'une main chaude. Des odeurs d'huile de bain et de savon parfumé, de peau frottée si fort qu'elle cuisait au toucher. Ils se dirent à voix basse de ne pas s'inquiéter.

Le ciel acheva de s'assombrir, déchaînant sur la rive asiatique un foisonnement de lueurs. Zip voulut savoir d'où venait le *nazar boncuk*. Ambroise expliqua l'avoir acheté pendant qu'il attendait que sa bien-aimée sorte du bain.

Ils s'attardèrent encore un instant sur le banc, se demandant si la gentille danseuse de l'hôtel allait jamais rentrer à la taverna et si elle dansait aussi bien que son frère le prétendait.

À mon avis, décréta Ambroise, c'est la meilleure de toute la Méditerranée.

Le lendemain matin, vers le lever du soleil, Londres appela neuf fois en autant de minutes. Pas un appel ne reçut de réponse.

Quatre émanaient du bureau de Zip, deux de ceux du DraCar. Aucun message. En une occasion, une voix s'était bornée à répéter *décroche, décroche, décroche, décroche.* Un autre appel émanait du Foreign Office : *Je suis en ville. On prend un verre ?* Le neuvième appelant laissa un message : *Les chemises de monsieur sont prêtes et il peut passer les chercher quand cela lui conviendra, en quelque sorte.*

Par la fenêtre de l'hôtel, Ambroise contemplait le Bosphore voilé dans les brumes de l'aube. Il vascilla légèrement, appuya son front sur la vitre pour ne pas tomber. C'est alors que Zip, qui savait très bien que son mari ne l'admettrait jamais tout seul, déclara qu'il était temps de rentrer.

Ambroise se tourna vers elle et réussit un petit sourire triste.

On rentre, alors ?

On rentre.

Ils dormirent cette nuit-là dans leur lit, blottis dans la maison victorienne exiguë près de Kensington.

La lettre J, les chemises, tout cela attendrait.

Ambroise Zéphyr se rasait dans sa salle de bains.

Plantée dans l'embrasure de la porte, sa femme observait ses mains. Leur tremblement à peine décelable, mais plus nettement visible dans la main droite. Celle qui tenait le rasoir. Ambroise se pencha vers le miroir embué et tira un long trait. Ses mains se calmèrent. Le nœud qui serrait l'estomac de Zip se détacha.

On ne peut pas les éviter en permanence, fit remarquer Zip tandis que son mari finissait son cou, puis s'attaquait au menton.

Je n'ai pas la moindre envie d'être le sujet du jour, riposta Ambroise.

Nos amis ne te feraient pas ça.

Zip s'approcha de son mari, posa la tête sur son épaule. Ambroise regardait son reflet dans le miroir. Le peu qu'il en discernait lui sembla creux. Comme s'il n'était pas tout à fait là.

Tout le monde fait ça, soupira Ambroise. Une minute tu es qui tu es. La minute d'après, c'est les regards obliques, les soupirs, pauvre Ambroise, si on peut faire quoi que ce soit Ambroise, marchons tous sur des œufs pour Ambroise. Tout d'un coup, tu n'es plus que ça. Et c'est tout ce qui restera de toi.

Ambroise tendit la main qui tenait le rasoir et regarda s'écraser par terre une grappe de gouttes d'eau projetées par son tremblement. Ça, déclara-t-il, ce n'est pas moi.

Il se retourna vers le miroir. Eux, ce n'est pas nous.

À l'époque où les Mankowitz habitaient au vingt-six et les Ashkenazi au trente, les filles se rencontraient devant le numéro vingt-huit. Les voisins disaient que *ces deux-là,* Katerina Mankowitz et Zappora Ashkenazi, ne manquaient pas de grandes décisions à prendre. Au sujet des garçons. À propos de l'infecte petite sœur de Katerina. Concernant leurs cheveux, leurs chaussures, leur épiderme. Zappora appelait sa meilleure amie Kitts.

Le jour où Kitts obtint un poste d'aide-photographe, elle glissa un mot à son employeur au sujet d'une amie qui se cherchait du travail.

Quand Kitts se crut enceinte, Zappora trouva une clinique discrète. Pour finir, Kitts avait juste du retard. Les deux amies fêtèrent ça au pub du coin. Ce fut Zappora qui paya la tournée.

La fois où Zip annonça qu'elle avait rencontré quelqu'un, Kitts approuva. Du moment qu'on peut lui faire confiance, précisa-t-elle. Ce fut Kitts qui trouva la robe de mariée.

Et lorsque Kitts laissa tomber son dernier amant en date, Zip prépara la chambre d'amis, la décorant de photos prises par son amie. Jamais Kitts ne l'aurait fait remarquer, mais il y en avait pour plusieurs milliers de livres sur les murs de la petite pièce. Les clichés noir et blanc de personnages inquiétants pris en contre-jour dans les ruelles des pays défavorisés sont très prisés par les collectionneurs du monde entier.

Décroche, décroche, décroche, décroche. DÉCROCHE.

Zip répondit.

Kitts l'informa qu'elle arrivait tout de suite.

Ambroise ouvrit la porte et se retrouva face à face avec une Kitts à l'air mauvais. Elle était, comme toujours, grande et hagarde. Comme si elle arrivait tout juste d'une séance de travail dans un endroit sans eau courante. Elle traita Ambroise de salaud, puis le serra dans ses bras. Plus longtemps et plus fort que d'habitude.

Je suis très content de te voir, articula Ambroise en laissant entrer Kitts. Puis il s'assit sur le perron et alluma une des cigarettes qui lui restaient de Paris.

Dans sa cuisine, entre deux tasses de thé, Zip se décomposa. Pour commencer, elle fut prise de fou rire, comme une écolière. L comme Liste, s'esclaffa-t-elle. Q comme q*u'est-ce que* j'ai fait ? P comme qu'est-ce que je n'ai *pas* fait ? D comme qu'est-ce que j'aurais *dû* faire ?

Elle montra son carnet à Kitts, déployant ses pages avec une mine de conspiratrice. Elle tira tout un fourbi de la pochette de la couverture. Les souvenirs, expliqua Zip. Quel merveilleux, quel atroce voyage.

Elle vida le contenu disparate de ses poches. Tout cela formait une petite montagne sur la table.

Une carte postale terne représentant un énorme tableau de Rembrandt.

A comme un tableau à Amsterdam, récita Zip.

Un petit caillou gris, lisse et tiède.

Berlin la barbare.

Un brin de lavande aplati qui ne sentait presque plus.

Chartres et la publicité.

Une autre carte postale, une aquarelle aux couleurs gaies cette fois, clamant *Bienvenue à Deauville**.

Un voyage de noces au bord de la mer, évoqua Zip.

Un gros exemplaire esquinté des *Misérables,* une photo en relief d'une Italienne au foulard élégant, un Polaroïd peu flatteur de

Zip et Ambroise devant les pyramides. Une de ces babioles de verre bleu qu'on fait porter aux enfants.

Notre Paris, pouffa Zip. Florence, Gizeh, Istanbul. Je t'ai dit qu'on a raté Haïfa ?

Zip saisit le carnet dans ses mains. Les pages blanches succédaient aux pages blanches.

Et qu'est-ce qui me restera quand il sera parti ? Rien. Ni vieillir ensemble, ni *pied-à-terre** où prendre notre retraite, ni enfants, ni petits-enfants, maintenant que j'y pense. Fini. Plus de vie. Rien. Le vide.

Depuis quand tu veux des enfants, toi ? fit remarquer Kitts.

En tout cas, je n'ai jamais voulu ça. J comme Je ne sais pas quoi faire.

Calmement assise dans l'œil de l'ouragan qui secouait son amie, Kitts hocha la tête, prit Zip dans ses bras, essuya son visage baigné de larmes, mit la bouilloire sur le feu, pleura un peu à son tour, appuya, acquiesça. Et écouta.

Quand le pire fut passé, Kitts fit ce qu'elle avait toujours fait depuis leurs rendez-vous d'enfants devant le numéro vingt-huit. Au moment précis où les mots manquaient, elle trouva quelque chose d'intelligent à dire.

Il a raison, le sale type. Vivez ce qui vous reste. Vivez aussi largement que vous en êtes capables. C'est ce qu'il veut. Toi aussi, c'est ce que tu veux.

Zip flanqua son carnet sur la table.

Mais les mots. Par où commencer? Où m'arrêter?

Les mots viendront, promit Kitts. Ils viennent toujours.

Zéphyr et Wilkes s'étaient connus à l'université.

Ils s'intéressaient vaguement aux études l'un de l'autre. Ambroise avait introduit son copain en douce dans un atelier de modèle vivant, histoire de lui prouver que les artistes ne bandaient pas. Freddie avait donné à son camarade des informations précises sur le rapport idéal entre le single malt et la rédaction de thèse.

Leur diplôme en poche, ils s'étaient installés dans un taudis minuscule d'un quartier défavorisé de Londres et avaient écrit des bobards dans le CV l'un de l'autre. C'est à cette époque qu'ils s'étaient mis à s'appeler uniquement par leur nom de famille. Cela sonnait bien, disaient-ils. Cela faisait très professionnel.

Au moment où ils semblaient destinés à conduire des taxis toute leur vie, Wilkes passa l'examen du service diplomatique et Zéphyr réussit à se faire embaucher comme rédacteur publicitaire. Des années plus tard, ils savouraient encore l'ironie de la chose.

Entre les postes lointains de l'un et l'exigeante clientèle de l'autre, les deux amis ne se voyaient pratiquement jamais. Quand cela arrivait, ils n'évoquaient jamais leurs souvenirs. Ils gardaient absolument chaque lettre il-ne-manque-que-toi, chaque souvenir regarde-ce-que-je-viens-de-créer reçus l'un de l'autre.

Personne, surtout pas Zip, n'aurait pu expliquer pourquoi ils étaient restés amis de si loin et depuis si longtemps. Ni même, à bien y penser, pourquoi ils étaient devenus amis.

On prend un verre? signifiait toujours au bar du Savoy.

Après sa soirée avec Freddie, Ambroise se borna à évoquer le plaisir de revoir son vieux copain. Ils avaient principalement passé leur temps à discuter de leur travail respectif, assura-t-il. Secrets d'État, scènes de clients, toute cette sorte de choses.

Le plus probable était qu'après plusieurs kirs et une quantité suffisante de whisky, Ambroise s'était résigné à lui résumer la situation. S'en serait suivi un long silence meublé de soupirs chagrinés. Ils auraient commandé la même chose, je vous prie.

Trouvant finalement le courage de franchir ces Dardanelles, les deux amis seraient parvenus à se regarder dans les yeux. Yeux dans lesquels ils auraient vu des larmes. Larmes stoïques, soit, mais larmes tout de même.

Merde, aurait sans doute murmuré Freddie en se détournant un instant.

Ambroise se serait peut-être excusé.

Puis les deux hommes se seraient ressaisis. Comme toujours, Freddie aurait trouvé quelque chose d'intelligent à dire. Quelque chose de sage.

Tu es rédacteur, non? Cette liste de A à Z... franchement, tu n'as pas autre chose? De toute façon, cela ne servirait qu'à te faire détester la moitié des endroits que tu visiterais. Pense à Zip. La pauvre. Arrête de la traîner comme ça d'un endroit à l'autre. Ce n'est pas elle qui a décidé qu'il était temps de rentrer?

À la fin de la soirée, ils auraient attendu des taxis ensemble sur le trottoir. Ils se seraient embrassés comme le font deux vieux amis qui se séparent. Si tu as besoin de quoi que ce soit, aurait sûrement dit Freddie.

Bon, ben.

Bon.

Les taxis seraient arrivés.

Aucun des deux n'aurait dit au revoir. Ils n'allaient pas commencer maintenant.

Ambroise Zéphyr disait parfois que pour réussir dans la vie, un homme devait vivre avec une femme intelligente, savoir danser le tango et connaître l'adresse d'un tailleur compétent.

Pour les gens qui connaissaient Ambroise, c'est l'adresse du tailleur compétent qui expliquait pourquoi il avait rayé Jaipur de sa liste et écrit *Old-Jewry* à la place.

M. Umtata avait quitté son pays encore jeune, dissimulé dans la soute d'un cargo chétif. Quand elles avaient constaté sa défection, les autorités ne l'avaient pas regretté longtemps. Bon débarras, avaient-elles déclaré. Un *kaffir* de plus ou de moins.

Le jour où le cargo avait accosté à Londres, l'Allemagne décidait d'envahir ses voisins. Une semaine plus tard, M. Umtata avait trouvé à s'engager. Dans l'armée. Rien de trop risqué, lui avait-on assuré. Vous comprenez. Mais vous ferez tout de même votre part, en quelque sorte.

C'est ainsi qu'il avait appris son métier. Attention au pli du poignet, ordonnait le Major. C'est un peu serré à l'épaule. Vous m'astiquerez bien ces boutons, mon garçon. M. Umtata mena ses batailles les plus féroces au mess des officiers. À la fin de la guerre, le Major et ses boutons reprirent le chemin de leur terroir et M. Umtata s'installa dans Cheapside, où il trouva du travail à la pièce chez un tailleur pour dames et pour messieurs. NOUS RETOUCHONS TOUS LES HABITS – LE CHIC EST NOTRE SPÉCIALITÉ – TRAVAIL SUR MESURE SUR COMMANDE – SATISFACTION GARANTIE POUR TOUS – FERMÉ LE DIMANCHE. Il aimait particulièrement travailler pour les dames.

Puis il apprit à danser. Pour mieux saisir comment bougent les vêtements, expliqua-t-il à son patron. M. Umtata était plutôt petit et ses dents étaient trop grandes pour sa bouche, mais ses partenaires ne s'en formalisaient pas. Il était toujours impeccablement vêtu, il sentait délicieusement bon et il bougeait bien. On jurerait Fred Astaire, minaudaient-elles.

Après vingt ans de ce régime, M. Umtata acheta le magasin, une échoppe étroite, trop sombre l'été, trop chaude l'hiver, dont la sélection n'avait rien à voir, en quantité comme en qualité, avec ce qu'offraient les boutiques de Savile Row. Mais on trouvait chez lui une main tranquille et sûre, un service courtois et une discrétion à toute épreuve. Il dispensait remarques et conseils comme il le jugeait bon. Sur commande.

Ils s'étaient rencontrés le matin où une version plus jeune d'Ambroise Zéphyr avait tourné sa première pub télévisée : trente secondes pour vendre le meilleur détersif à la ménagère moderne des années soixante-dix.

Le concept présentait une actrice rousse dont le sourire imitait à merveille celui de la ménagère moderne des années soixante-dix, à genoux au milieu d'une rue typique d'Angleterre qu'elle lavait à la brosse, histoire de souligner la puissance du détersif moderne des années soixante-dix. Quant aux *hot pants* de l'actrice, personne n'aurait su dire ce qu'ils étaient censés souligner. Le rôle de la rue typique d'Angleterre était joué par l'Old-Jewry.

L'angle de la prise de vue était plutôt extrême. En vérifiant le premier cadrage de la journée, Ambroise avait déchiré le fond de son pantalon. La secrétaire de l'agence l'avait poussé dans la boutique de M. Umtata pour le faire réparer. Le tailleur émit alors son premier conseil : un ajustement du pantalon sur les fesses s'imposait.

Lorsqu'Ambroise lui demanda ce qu'il pensait de toute cette activité devant chez lui, M. Umtata répondit que l'ensemble avait l'air très intéressant, quoique monsieur pourrait peut-être reconsidérer la question des *hot pants*.

Ambroise devint un client régulier, au gré de son budget et de ses besoins vestimentaires. Un veston de temps en temps, des chemises à la douzaine, un flirt ou deux avec des pantalons à pattes d'éléphant (contre l'avis du tailleur). Au fond du magasin, dans un fichier de bois portant la mention Actifs, M. Umtata avait une fiche où étaient inscrits les renseignements suivants : *Zéphyr, A. Porte à gauche, favorise l'épaule droite, préfère les doublures contrastantes. Peu de jugement en matière de coloris. Doit parfois être guidé dans ses choix. Voir Ashkenazi, Z (Mme).* C'était la seule carte classée sous la lettre Z.

Ambroise avait amené Zip dans l'Old-Jewry pour lui faire rencontrer M. Umtata. Ils ne sortaient pas ensemble depuis très longtemps et il cherchait encore à l'impressionner. Alors ? Vous approuvez ? avait-il demandé ensuite.

Oh oui, monsieur, avait répondu M. Umtata. L'expression juste, je crois, est le yin de votre yang. Et monsieur, si je peux me permettre : la dame danse-t-elle ?

Le costume dans lequel se maria Ambroise avait été coupé, doublé et cousu à la main par M. Umtata en personne : veston croisé, ample pantalon classique, jaune saisissant de la cravate. Au dernier essayage, auquel assista Zip, Ambroise émit l'intention de porter à la boutonnière un œillet du même jaune. Zip leva les yeux au plafond. M. Umtata ne dit rien, mais fronça un sourcil.

Ce serait joyeux, vous ne trouvez pas ? poursuivit Ambroise.

Sans aucun doute, monsieur, avait répondu M. Umtata.

Pour souligner ce grand événement.

Tout à fait.

Peut-être un peu trop?

Comme monsieur voudra.

M. Umtata se chargea également d'ajuster et de retoucher la robe de Zip (un ensemble grège d'époque utilisé une seule fois auparavant et déniché aux puces de Portobello Road). Avec mes compliments pour madame, offrit-il en coupant le dernier fil avant de se pousser pour permettre à Zip de se contempler dans le miroir.

Oui, elle danse, la dame, chantonna Zip au-dessus du froufrou de son jupon.

En danseur expert, M. Umtata la prit par la taille et la fit plonger bien bas en l'honneur de son mariage. Pour vérifier que tout bouge comme il faut, prétexta-t-il en souriant de toutes ses dents.

Le jour J, malgré la pluie torrentielle qui s'acharnait sur Kensington Gardens, les jeunes mariés avaient l'allure d'un couple de stars. Zip tenait un bouquet de boutons de rose blancs auquel répondait la blancheur de l'unique bouton épinglé au revers d'Ambroise. M. Umtata se trouva dans l'impossibilité d'assister à la cérémonie. En effet, le samedi, la boutique de l'Old-Jewry était très courue. Il leur fit parvenir ses excuses.

De nombreuses années plus tard, le costume de mariage lui allait encore comme un gant. Par contre, le trois-pièces de lin nécessitait des soins urgents. Et puis, les chemises de monsieur étaient prêtes.

Du fond de sa boutique, M. Umtata poussa un chapelet de soupirs. Ne pouvait-on faire quelque chose ? l'adjura Ambroise. Le temps pressait, fit remarquer Zip. M. Umtata suggéra alors à monsieur de se mettre en caleçon. Si madame voulait bien s'asseoir.

Le silence se fit tandis que le tailleur faisait valser ses aiguilles, ses fils, ses fers, ses ciseaux. Ambroise cherchait un endroit où poser les mains. Zip remarqua la pâleur de son mari. Il n'avait plus que la peau sur les os.

Nous étions en voyage, expliqua Ambroise.

Ah bon, monsieur, marmonna M. Umtata, la bouche pleine d'épingles.

Partis à l'improviste.

Ah bon.

Avec très peu de bagages.

C'est ce que j'ai cru comprendre, monsieur.

Désolé d'être si pressé.

Moi aussi, monsieur, assura M. Umtata en recouvrant la dernière couture, les yeux dans ceux, embués, de Zip.

On procéda au déballement d'une chemise neuve. Tout en l'enfilant, Ambroise parvint à sourire.

Miraculeux, Umtata. Comme toujours.

Si monsieur le dit.

Mais un peu ample à l'épaule.

Effectivement, monsieur. Voulez-vous voir comment elle bouge ?

Sur ce, M. Umtata s'empara des mains d'Ambroise Zéphyr. Permettez, monsieur, chuchota-t-il. Les deux hommes firent un plongeon. Bien bas. En danseurs experts.

Pour la première fois depuis des jours, Zip Ashkenazi éclata de rire.

Le soleil se levait. Ambroise Zéphyr s'assit sur le perron. C'était toujours son moment préféré de la journée.

Il vit sortir le numéro douze avec son roquet nain. Le vieux monsieur fronça les sourcils : il avait oublié son chapeau. La dame du numéro dix-huit sortit ramasser le journal du matin sur le pas de sa porte. Ce matin-là, certaine que personne ne serait debout à cette heure matinale, elle était nue comme la main. Le matou du quartier, ignoré de tous, épiait les oiseaux qui pépiaient dans le parc, de l'autre côté de la rue.

La brume nocturne se dissipa. Aux yeux de Zip Ashkenazi, debout à la fenêtre et vêtue de l'une des chemises neuves de son mari, la matinée s'annonçait exceptionnelle. Quel temps splendide pour la saison !

Persuadé que sa femme s'octroyait encore cinq minutes, Ambroise sirotait son café. Il agita la main en direction du numéro dix-huit, s'excusant d'un sourire penaud d'avoir vu ce qu'il ne fallait pas. Le monsieur rentra chercher son chapeau.

Zip attendit que le soleil fasse son entrée par la fenêtre, puis se prépara une tasse de thé avant d'aller rejoindre son mari sur le perron.

Il faut que je m'occupe du bureau, annonça Ambroise.

Zip suivait du regard le matou du quartier.

Des tas de détails à régler et tout...

Zip examina les feuilles de thé déposées au fond de sa tasse.

J'aurais dû téléphoner, soupira-t-elle.

Les bureaux de Dravot & Carnehan étaient situés tout près de Leicester Square. Ceux de la troisième revue de mode la plus lue du pays n'étaient qu'à quelques rues de là. Zip et Ambroise avaient eu beau s'arranger pour travailler dans le même quartier, ni l'un ni l'autre ne se rappelait quand ils y avaient mangé ensemble pour la dernière fois, ou pris le métro ensemble comme un couple qui va travailler. C'est tout de même drôle, se dit Zip, qu'on fasse ça maintenant. Ils avaient décidé de commencer par le DraCar.

Lorsque Zip et Ambroise traversèrent le service création pour se rendre à son bureau, seules quelques têtes les suivirent du regard. Ils sont tous trop nouveaux, se dit Zip. Trop occupés. Trop jeunes.

Greta était assise dans la chaise d'Ambroise et regardait par la fenêtre en jouant négligemment avec la collection de caractères d'imprimerie. Sans se retourner, elle exprima à quel point tout cela lui semblait étrange. Le DraCar venait de signer avec le client.

Je viens juste chercher deux ou trois trucs, annonça Ambroise.

Plus ennuyeux qu'étrange, en fait, poursuivit Greta.

J'en ai pour une minute.

Grosse réunion la semaine prochaine. Stratégie.

Tu peux en jeter la majeure partie.

Tactique. Nouvelle équipe.

Les plantes sont fausses. Elles vont durer longtemps.

Campagne internationale. Beaucoup de travail.

Juste un ou deux trucs.

La facture va être énorme.

La voix de Greta fila à l'anglaise par la fenêtre.

Ambroise examina son bureau. Une photo de lui sur un plateau de tournage avec les cheveux longs et d'horribles pantalons à pattes d'éléphant, aux côtés d'une actrice rousse. Un manuel de typographie rédigé à l'intention des journalistes. Un atlas de poche relié de cuir, orné d'un signet-ruban. Plusieurs dépliants touristiques des années soixante : *Skiez à Zermatt cette année*, *Saint-Moritz fleuron de la Suisse*, *Passez la saison à*

Genève. Un cliché noir et blanc de Zip en contre-jour, pris plusieurs années auparavant dans un pays défavorisé.

Tu peux garder les caractères, offrit Ambroise. Je t'en fais cadeau.

Greta se détourna enfin de la fenêtre. Les larmes coulaient sur ses joues et lui dégoulinaient du menton.

Vraiment très ennuyeux, dit-elle.

C'est vrai, admit Ambroise.

J'ai horreur de ça. Je veux rentrer chez moi.

On dit que Berlin est splendide en cette saison.

Ambroise sourit et embrassa chaleureusement Greta sur les deux joues. Il glissa la photo de Zip dans sa poche et s'en fut.

Lorsque Zip franchit le seuil de sa porte, Prudence aboyait contre Milan ou Paris, contre New York ou sa secrétaire. Elle envoya valser l'écouteur à travers la pièce. Son regard glissa sur Ambroise exactement comme s'il n'était pas là et elle se mit à invectiver Zip.

Je te donne ma démission, coupa Zip. Toute sa vie s'effilochait ; elle n'avait pas besoin de Prudence pour tirer sur les brins. Elle aurait bien aimé investir encore plus de colère dans *démission.*

PLUS JAMAIS tu ne publieras UN SEUL MOT, articula Prudence aussi posément que son tempérament le permettait. J'y verrai PERSONNELLEMENT.

Fais comme tu voudras, laissa tomber Zip.

MNOPQRSTU

Zip et Ambroise mirent le plus clair de la journée à atteindre Hyde Park. Par endroits, Ambroise ralentissait l'allure, traînant les pieds comme un vieillard. Les trottoirs bondés tout comme les rues encombrées n'avaient rien arrangé.

La traversée de Kensington Gardens se fit d'un pas plus vif. En des temps moins moroses, Ambroise décrivait volontiers ses visions du roi en promenade : juché sur un cheval pommelé, surchargé de dentelles et de boucles, pourchassé par toute sa cour comme dans une mauvaise comédie.

Ils se reposèrent un instant au bord du *Round Pond.* On avait sorti les pliants de toile pour la saison. Le regard d'Ambroise traversa l'étang, se posa sur les cygnes, puis sur rien.

Qu'aurais-tu fait ? voulut savoir Zip.

Je me serais assis sur la plage à Mumbai, décrivit Ambroise, et je me serais fait couper les cheveux. Pour quelques roupies de plus, le barbier m'aurait dit la bonne aventure. *Le sahib mènera une vie pleine de surprises.* Tu aurais porté un sari couleur d'aubergine.

New York. J'y serais allé une fois. Pour affaires ? Non. Tu étais là. Pour les défilés de printemps. Est-ce que tu m'avais emmené avec toi ? Ou est-ce que j'avais moi aussi quelque chose à y faire ? C'est drôle, j'ai tout oublié. C'était bien plus loin que dans mon souvenir.

O. O comme… Osaka. Je m'incline devant les hôtesses du grand magasin qui dissimulent leur sourire quand elles m'entendent baragouiner le japonais. Toi et moi, nous allons au théâtre. Là-bas, je crois qu'ils appellent cela le *bunraku.* Une légende tragique. À en juger par le jeu des acteurs, un truc à la Montaigu et Capulet. Tu pleures au dernier acte. P… Pago Pago. Paddington. Perth ? J'apprends un nouvel argot, j'erre dans le Queensland. C'est là que nous avons valsé, non ? Sur la plage…

Un drôle de petit sourire se dessina sur le visage d'Ambroise. Il détourna son regard.

Continue, demanda Zip. Continue, je t'en prie.

Quoi ?

R. Tu en es à la lettre R.

Rio, la plage. Ipanema. Là-bas, il y a des laveurs de pieds professionnels, imagine que je puisse voir l'Afrique depuis la plage et que tu n'es pas si jeune ni grande mais très bronzée, tout à fait adorable, voilà Shanghaï, une mer de femmes pratiquant le taï chi, elles me regardent en fronçant les sourcils, un petit quatuor à cordes, des enfants de cinq ans, ils jouent quelque chose en mineur, l'adagio de Barber, que c'est triste pour d'aussi petites mains…

N'arrête pas, souffle Zip.

Je ne peux pas.

Et pour T ?

Je ne m'en souviens pas. Tombouctou ?

Ne t'en fais pas. Le U alors.

Ambroise regarda sa femme comme s'il ne l'avait jamais vue de sa vie. Le roi, déclara-t-il, n'est pas très bon cavalier.

Oh mon Dieu.

Zip et Ambroise restèrent sans bouger jusqu'à la nuit tombée. Leur panique fut lente à se dissiper.

La lune jaillit par-dessus les arbres. Ils firent à pied le reste du chemin jusqu'à la maison. Juste comme ils tournaient dans leur rue, Ambroise annonça qu'il se souvenait.

Nous étions descendus dans une *penzione* près de la place Saint-Marc. Je m'étais réveillé trop tôt. J'ai eu du mal à enfiler le costume de lin dans le noir, mais je ne voulais pas te réveiller. J'ai emprunté une couverture à la réception et je suis allé marcher sur la place.

Tout était voilé par le brouillard. La pluie tombait doucement, cessait, reprenait. Le fond de l'air était froid pour la saison. Il était trop tôt pour que les cafés ouvrent.

J'ai pris une chaise et je l'ai tirée dans un coin d'où j'avais vue sur la lagune. Les gondoles encore amarrées à leurs poteaux montaient et descendaient sur l'eau comme des jouets. Je me suis enveloppé dans la couverture et je me suis baigné dans la beauté vaporeuse de la lagune. Durant toutes ces années passées à parler de Venise, à se l'imaginer, à en rêver ensemble, est-ce qu'on avait pensé une seule fois à l'odeur qu'elle aurait ?

Quand tu m'as trouvé, je m'étais endormi. Tu t'étais inquiétée, m'as-tu avoué. Tout va bien, t'ai-je répondu. Comment pourrait-il en être autrement ? J'ai tenu une promesse.

Tu as souri. Tu as dit oui, enfin, tu l'as fait.

Les garçons de café se sont mis à désempiler les chaises, à essuyer les tables, à ouvrir les parasols. La piazza s'est emplie de touristes emmitouflés qui essayaient de faire entrer le Campanile dans leur viseur en grommelant contre le froid.

Toi et moi, quittant le bord de la lagune, on s'est mis en quête de notre petit déjeuner. On a perdu notre chemin en cherchant le marché de l'Erberia ; mais à la place, on a trouvé le Pont des Soupirs et on a décidé qu'on n'avait pas vraiment faim de toute façon. Dans le froid et l'humidité, nos vêtements puaient le poisson crevé, mais ça n'avait pas la moindre importance.

Zip lui confia qu'elle aussi, c'était tout à fait le souvenir qu'elle en avait gardé.

Z

Je te rejoins dans une minute, assura Ambroise. Zip monta l'escalier, alla s'étendre sur l'édredon et contempla longuement le plafond.

Lorsqu'Ambroise s'encadra dans l'embrasure de la porte, elle eut l'impression que plusieurs heures s'étaient écoulées. Elle l'aida à se mettre au lit, ajouta une couverture de son côté pour l'empêcher de trembler et s'enroula autour de lui. Elle oscillait au bord du sommeil quand l'atmosphère de la petite maison victorienne s'épaissit brusquement. Le silence l'éveilla en sursaut.

Zip pleura longtemps, doucement, avant d'appeler Kitts et Freddie. Eux, ils sauraient quoi faire, à qui téléphoner.

Elle déposa un baiser sur les yeux de son mari et descendit l'escalier.

Sur la table de la cuisine, elle trouva son exemplaire dépenaillé des *Hauts de Hurlevent*. Un bout de papier déchiré était glissé entre les premières pages. *Chapitre Un. 1801 – Je viens de rentrer après une visite…*

Sur le morceau de papier, le mot Zanzibar était rayé. Une main joliment assurée avait écrit Zip dans la marge. En bouclant à la perfection le panache du Z.

Quelques soirs plus tard, Zip Ashkenazi s'assit sur le perron. Le ciel menaçait. Elle avait enfilé un veston de lin qui n'était pas à elle, cela se voyait à la largeur exagérée des épaules. Mais il la protégeait à merveille des rigueurs du vent printanier. Près d'elle se dressait la valise de cuir qu'elle avait tirée de sous le lit.

Elle regarda le monsieur du numéro douze faire le tour du parc, son roquet nain sous le bras. En retard de quelques minutes, la dame du numéro dix-huit se hâtait le long de la rue. Le matou du quartier avançait nonchalamment en direction des oiseaux.

Parvenu à sa hauteur, le vieux monsieur s'arrêta. Il déposa son chien, se tourna vivement vers Zip, souleva son chapeau et s'inclina devant elle. En équilibre instable aux pieds de son maître, le roquet ignorait de son mieux le matou miteux. L'homme remit son chapeau, reprit son petit chien et rentra chez lui sans se presser.

La dame du numéro dix-huit dépassa les enfants qui l'attendaient et s'immobilisa un pas ou deux après la porte de Zip. Son sourire trahissait sa timidité. Au bout d'un instant, elle trouva quelque chose à dire. Elle confia à Zip qu'elle avait toujours beaucoup aimé sa chronique dans la revue de mode. Chaque mois, c'était la première page qu'elle lisait. Vous avez toujours des histoires passionnantes à raconter, lui dit-elle.

Elle se tut de nouveau. Bon, eh bien, reprit enfin la dame. Vous aimeriez peut-être, offrit-elle, une tasse de thé. Alors… peut-être bientôt… quand vous vous sentirez prête.

Zip la remercia de sa gentillesse. Une tasse de thé, j'adorerais, dit-elle. Bientôt. Les enfants de la dame agitèrent leur production artistique du jour en sa direction et ils s'éloignèrent.

Zip resta encore un peu, perdue dans la contemplation du parc désert. Il se mit à pleuvoir. Elle ouvrit le carnet qu'elle avait déniché dans une librairie d'Amsterdam. Avec douceur, Zip vida soigneusement le contenu de la pochette dans la valise d'Ambroise. Elle mit la main dans une poche du veston et en sortit un caractère d'imprimerie. Un caractère gras, sans sérif. Elle resta un instant immobile, puis remit le petit bloc de bois à sa place.

Elle ouvrit le carnet à la première page, lissa du plat de la main sa surface lisse, réfléchit un moment et se mit à écrire.

Toute cette histoire est assez improbable.

REMERCIEMENTS

Pour son amitié, sa complicité et ses talents de rédactrice inégalés : Martha Kanya-Forstner.

Pour leur représentation élégante en dépit du bon sens : Suzanne Brandreth, Dean Cooke.

Pour sa virtuosité d'éditeur, un authentique homme de lettres : Antoine Tanguay.

Pour sa traduction experte, méticuleuse et réfléchie : Sophie Voillot.

Pour son inventivité et son sens extraordinaire du design : Pascal Blanchet.

Pour leur patience, leur enthousiasme et pour la valise d'Ambroise : Hannah Richardson, Sanger Richardson.

Et Rebecca Richardson. Sans qui les susnommés n'auraient jamais lu un seul mot ni engagé leur énergie, leur générosité et leur conviction pour l'histoire en question.

CSR, février 2007

DÉJÀ PARUS CHEZ ALTO

Nicolas DICKNER
Nikolski

Clint HUTZULAK
Point mort

Tom GILLING
Miles et Isabel
ou La belle envolée

Serge LAMOTHE
Le Procès de Kafka
(théâtre)

Thomas WHARTON
Un jardin de papier

Patrick BRISEBOIS
Catéchèse

Paul QUARRINGTON
L'œil de Claire

Alexandre BOURBAKI
Traité de balistique

Sophie BEAUCHEMIN
Une basse noblesse

Serge LAMOTHE
Tarquimpol

C S RICHARDSON
La fin de l'alphabet

Christine EDDIE
Les carnets de Douglas

Rawi HAGE
Parfum de poussière

Sébastien CHABOT
Le chant des mouches

Marina LEWYCKA
Une brève histoire du
tracteur en Ukraine

Thomas WHARTON
Logogryphe

Howard MCCORD
L'homme qui marchait
sur la Lune

Dominique FORTIER
Du bon usage
des étoiles

Alissa YORK
Effigie

Max FÉRANDON
Monsieur Ho

Alexandre BOURBAKI
Grande plaine IV

Lori LANSENS
Les Filles

Nicolas DICKNER
Tarmac

Toni JORDAN
Addition

Rawi HAGE
Le cafard

Martine DESJARDINS
Maleficium

Anne MICHAELS
Le tombeau d'hiver

Dominique FORTIER
Les larmes
de saint Laurent

Marina LEWYCKA
Deux caravanes

Sarah WATERS
L'Indésirable

Déjà parus chez Alto
dans la collection CODA

Nicolas DICKNER
Nikolski

Thomas WHARTON
Un jardin de papier

Christine EDDIE
Les carnets de Douglas

Rawi HAGE
Parfum de poussière

Dominique FORTIER
Du bon usage
des étoiles

Margaret LAURENCE
Le cycle de Manawaka
L'ange de pierre
Une divine plaisanterie
Ta maison est en feu
Un oiseau dans la maison
Les Devins

Composition : Isabelle Tousignant
Révision : Yann Rousset
Conception graphique : Antoine Tanguay et Hugues Skene

Diffusion pour le Canada : Gallimard ltée
3700A, boulevard Saint-Laurent, Montréal (Québec) H2X 2V4
Téléphone : 514-499-0072 Télécopieur : 514-499-0851
Distribution : SOCADIS

Éditions Alto
280, rue Saint-Joseph Est, bureau 1
Québec (Québec)
G1K 3A9
www.editionsalto.com

ACHEVÉ D'IMPRIMER
CHEZ TRANSCONTINENTAL
LOUISEVILLE (QUÉBEC)
EN JUILLET 2010
POUR LE COMPTE DES ÉDITIONS ALTO

Dépôt légal, 3e trimestre 2010
Bibliothèque et Archives nationales du Québec